WEIMAR

WEIMAR

STÄTTE KLASSISCHER TRADITION

TEXT VON THEO PIANA

BILDER VON

GÜNTHER BEYER UND

KLAUS BEYER

1962

VOLKSVERLAG WEIMAR

Diese Stadt, die uns Deutschen so teuer ist,
wurde die Geburtsstätte der moralischen Existenz unserer Nation.
Weimar wurde den Völkern der Erde Symbol
für ein edleres und humaneres Deutschland,
nachdem Goethes Herz zu schlagen aufgehört hatte,
ein Herz, reich an unerfüllter Sehnsucht des eigenen Lebens,
aber stark im Glauben
an die fortschreitende Erfüllung durch die Menschheit.

So kennzeichnete Otto Grotewohl am 200. Geburtstag Goethes die geschichtliche Rolle, die dem klassischen Weimar an der Wende zum 19. Jahrhundert bei der Wiedergeburt unserer Nation zukommt, und Johannes R. Becher hat ausgesprochen: „Das ganze Werk Goethes, kann man wohl sagen, drängte hin auf eine Vereinigung Deutschlands. In jedem Werk Goethes werden wir dieses ungestümen Drängens inne, die Reinigung und Bereicherung der Sprache ergibt bei Goethe ein solch freies, über alle Beengtheiten hinaus sich bewegendes, modernes Deutsch, als hätte Deutschland, bevor es seine Einheit politisch verwirklichte, sich im voraus nach der Sprachschöpfung Luthers nun auch in der Sprache Goethes ein Instrument seiner Einheit geschaffen." Der hohe Anteil der Weimarer Klassik an der geistigen Erneuerung Deutschlands wird uns bewußt, wenn wir auf die Zeit zwischen dem Dreißigjährigen Krieg und dem Ausbruch der Französischen Revolution zurückschauen. Das Gebiet des 1648 nach dem Westfälischen Frieden zerstückelten Heiligen Römischen Reiches Deutscher Nation wies nur noch zwei größere Staatengebilde, Preußen und Österreich, auf. Im übrigen zerfiel Deutschland in etwa fünfzig freie Reichsstädte und in hundert Fürstentümer, unter denen sich auch das verarmte, politisch einflußlose Herzogtum Sachsen-Weimar befand. Dazu kamen, abgesehen von eineinhalbtausend mehr oder weniger selbständigen Reichsrittern, noch einmal eintausendfünfhundert weltliche und geistliche Herrschaften. Über all dem thronte der in Sachen des Reiches völlig ohnmächtige und gleichgültige deutsche Kaiser. Nach der Wahl Josephs II. im Jahre 1765 zum neuen Reichsoberhaupt wurden in Deutschland die Rufe nach Rettung aus dem nationalen Elend immer vernehmlicher. Mancher vaterlandsliebende Deutsche erwartete vom Kaiser eine entschiedene Änderung der Zustände im Reich. So rief Johann Gottfried Herder dem jungen Herrscher zu:

„O du, von neunundneunzig Fürsten
Und Ständen wie des Meeres Sand
Das Oberhaupt, gib uns, wonach wir dürsten,
Ein deutsches Vaterland!"

Herders Forderung blieb unerfüllt. Die Sorge Josephs II. galt seinem Stammland Österreich, dessen Hausmacht er auf Kosten der Reichsländer zu mehren trachtete. Die politische Gewalt lag bei den Landesfürsten und ihren adligen Mitspielern, die das Volk aussaugten und politisch bevormundeten. Wirtschaftlich erhielt sich dieses kleinstaatliche Feudaljoch, an dem Bürger wie Bauern während des ganzen 18. Jahrhunderts schwer zu tragen hatten, aus den unermeßlichen Ländereien der weltlichen und geistlichen Herrschaften. Im Gegensatz zu Westeuropa kam der Manufakturkapitalismus in Deutschland, einige Landstriche am Rhein ausgenommen, über Ansätze nicht hinweg; er schied daher als Schrittmacher für eine einheitliche Nationalwirtschaft und damit für einen fortschrittlich-bürgerlichen Staat aus. Die Mehrheit der Bürger beugte sich willenlos der herrschenden Klasse. In größeren Städten verband sich unter dem Einfluß der Aufklärung, oft irregeleitet durch unwesentliche Zugeständnisse, bisweilen ein Teil des Bürgertums mit dem Adel, der ihm einredete, eine Neuordnung Deutschlands sei nur denkbar im Zeichen des aufgeklärten Absolutismus. Der aber erwies sich überall als untauglicher Versuch, die mittelalterliche Feudalordnung den sich allmählich ändernden Verhältnissen anzupassen und auf diese Weise zu retten. Bauern und Plebejer, von den Bürgern gemieden, kamen seit ihrer grausamen Unterdrückung im Bauernkrieg als Träger umstürzlerischer Ideen nicht in Betracht, auch wenn sie sich hin und wieder gegen junkerliche Ausbeutung zur Wehr setzten. Dieses Kräfteverhältnis wurde für Deutschland kennzeichnend und bestimmte seinen Weg bis weit ins 19. Jahrhundert. Es verhinderte am Vorabend der klassischen Zeit das Entstehen einer breiten nationalen Bewegung. „Wo finden wir die Nation?“ so klagte Justus Möser 1774 in seinen „Patriotischen Phantasien“, „An den Höfen? Dies wird niemand behaupten. In den Städten sind verfehlte und verdorbene Kopien; in der Armee abgerichtete Maschinen; auf dem Lande unterdrückte Bauern . . ., am Hofe lebt nicht der Patriot, nicht der Mann, der zur Nation gehört, sondern der gedungene Gelehrte, der sich schmiegende Bediente . . .“

Einige Umstände kamen zusammen, um die herrschende Stellung des kleinstaatlichen Absolutismus zu erschüttern. Von außen wirkten der Amerikanische Unabhängigkeitskrieg und die Französische Revolution auf Deutschland ein. Gleichzeitig drang von Westen der Kapitalismus vor, der mit der mittelalterlichen Art zu produzieren aufräumte. Fortschrittliche Denker und Schriftsteller begrüßten diese Entwicklung. Infolge ihrer Kenntnis der ideologischen und ökonomischen Zustände in den westlichen Ländern besaßen sie am ehesten die Voraussetzungen, um die Lage im eigenen Lande kritisch zu untersuchen und sich mit ihr auseinanderzusetzen. Ihre entschlossensten Vorkämpfer, Lessing, Herder, Schubart, Bürger, Möser, Forster, Schiller und Hölderlin, stammten bis auf Goethe, den Patriziersohn, zumeist aus den unteren Schichten des Bürgertums. In den Familien von unbemittelten Lehrern, Predigern, Handwerkern und Beamten wuchs während der zweiten Hälfte des 18. Jahrhunderts die „Avantgarde der Armee des menschlichen Geistes“ heran, wie Germaine de Staël-Holstein jene Deutschen bezeichnete, die, von den Herrschenden verfolgt, arm und politisch machtlos, nur mit geistigen Waffen gegen die alte Ordnung

kämpften. So stand den Mächtigen des Landes nur eine kleine Gruppe von Schriftstellern und Publizisten gegenüber, die, besonders in der revolutionären Sturm-und-Drang-Periode, der Sehnsucht des Volkes in Wort und Schrift Ausdruck verlieh. Wer seinem Herrn zu gefährlich wurde, büßte die Freiheit ein. Auf dem Hohentwiel saß der Staatsrechtler Johann Jakob Moser als angeblicher Verfasser einer Schrift gegen seinen Herzog bereits im Kerker, als Christian Friedrich Schubart, der unerschrockene Kämpfer gegen den kleinstaatlichen Despotismus, im Jahre 1777 ohne Rechtsspruch auf dem Hohenasperg gefangengesetzt wurde. Schiller vermochte sich dem drohenden Zugriff seines Landesfürsten nur durch die Flucht zu entziehen.
Um so höher sind die Leistungen jener Dichter der klassischen Periode der deutschen Literatur einzuschätzen, von denen Goethe sagte: „Man halte diese Bedingungen, unter denen allein ein klassischer Schriftsteller ... möglich wird, gegen die Umstände, unter denen die besten Deutschen dieses Jahrhunderts gearbeitet haben, so wird, wer klar sieht und billig denkt, dasjenige, was ihnen gelungen ist, mit Ehrfurcht bewundern, und das, was ihnen mißlang, anständig bedauern." Herder, Goethe und Schiller haben sich während ihres Weimarer Wirkens immer wieder gegen die unerträglichen Zustände in Deutschland gewandt. Warum sie dennoch nicht imstande waren, sie zu überwinden, hat Friedrich Engels in seiner Würdigung Goethes nachgewiesen, die auf alle deutschen Schriftsteller jener Zeit zutrifft: Die deutsche Armseligkeit war mit den Waffen des Geistes allein nicht zu überwinden. Ungeachtet dessen bewundern und verehren wir die Großen von Weimar, denn „Goethe hat", sagt Ernst Fischer, „aus der deutschen Misere herausgeholt, was überhaupt aus ihr herauszuholen war. Aus der Dumpfheit des deutschen Philistertums, aus der Beschränktheit deutscher Kleinstädte und Kleinstaaten, aus der beklemmenden Geschichtslosigkeit Deutschlands im 18. Jahrhundert zu solchem Schöpfertum, zu solcher Weltgröße emporzuwachsen, das war eine menschliche Leistung, die zu staunender Ehrfurcht verpflichtet."

Weimar ist als Stadt um die Mitte des 13. Jahrhunderts durch den Grafen Hermann III. von Orlamünde gegründet worden. Die ersten Einwohner waren Ritter und hörige Bauern aus der Umgebung der Weimarer Burg, zu denen im Laufe der Zeit Handwerker kamen. Die sozialen Gegensätze innerhalb Weimars waren von Anfang an beträchtlich. Nur Geistliche und Ritter waren von den drückenden Lasten befreit, an denen die freien Bürger, ebenso wie die bäuerlichen Pächter junkerlichen Bodens, schwer zu tragen hatten. Der Feudalherr, an den die Einwohner persönlich gebunden waren, besaß uneingeschränkte Macht.

Auch nachdem das Herrschaftsgeschlecht der Wettiner im Jahre 1372 Burg und Stadt übernommen hatte, erhielt Weimar von den neuen Herren nur größere Rechte, weil sie die abgesunkene Steuerkraft der Einwohner stärken wollten. So wurde die Stadt 1407 endlich von den drückenden, jede wirtschaftliche Entwicklung hemmenden Frondiensten befreit, die sie eineinhalb Jahrhunderte länger als die anderen thüringischen Städte hatte leisten müssen. Am 29. September 1410 verlieh Landgraf Friedrich der Jüngere seiner Residenz das Stadtrecht und 1431 die niedere Gerichtsbarkeit. Dadurch erhielt Weimar eine städtische Verfassung, wie sie Erfurt und Nordhausen bereits seit dem 13. Jahrhundert besaßen. Solche Freiheiten wurden dem Lehnsherrn durch die Einwohner nicht etwa in harten Kämpfen abgerungen, sondern immer nur von oben bewilligt. Auch die von den Weimarern auf höheren Befehl errichtete Stadtbefestigung war keineswegs Ausdruck erfolgreicher Selbstbehauptung. Sie bewies nur auf andere Art ihre Abhängigkeit; und als im Jahre 1758 der Magistrat gegen den von Herzogin Anna Amalia angeordneten Abbruch der Stadtmauer protestierte, setzte sich die Fürstin einfach über den Einspruch der Bürgerschaft hinweg und ließ die Anlage kurzerhand niederreißen.
Von dieser mittelalterlichen Stadtbefestigung, in deren Mauern Cranach gelebt und die Goethe teilweise noch gesehen hat, sind, außer einigen Mauerresten, nur der Kasseturm und der Bibliotheksturm übriggeblieben. Aus der Gegend nächst der herrschaftlichen Burg führte sie vom Bibliotheksturm über die heutige Puschkinstraße, die Schillerstraße und die Wielandstraße zum Goetheplatz, bog am Kasseturm nach Osten ab und verlief über den Graben und die Gerbergasse zum Kegeltor. Sie umgrenzte ein kleines Gebiet, das sich innerhalb des Zeitraums, der zwischen der Stadtgründung und dem Abriß der Stadtbefestigung liegt, nur geringfügig verändert hat.
Nach der Teilung Thüringens im Jahre 1445 richtete sich Wilhelm III. Weimar als herzogliche Hauptstadt ein, wo er eine gut durchgebildete Landesverwaltung schuf. Nach seinem Tode verlor Weimar wieder an Bedeutung, weil sich Wittenberg als Mittelpunkt des neuen Fürstentums Sachsen herausbildete. Dort saß Kurfürst Friedrich der Weise aus dem Hause Wettin, der als erster Schirmherr Luthers in die Geschichte eingegangen ist. Weimar spielte damals nur die Rolle einer Nebenresidenz, von der aus Friedrichs Bruder Johann der Beständige jene Gebiete regierte, die außerhalb des eigentlichen Kurgebietes lagen. Diese Tatsache bestimmte Weimars untergeordnete Stellung während der Reformation, deren Entstehen und Weiterwirken mit den beiden Wettinerfürsten und mit Martin Luther verknüpft ist, der seit 1508 Professor der Theologie und Philosophie an der Universität Wittenberg war. Die Wettiner hatten es darauf abgesehen, die enteigneten kirchlichen Güter,

Klöster und Ländereien an sich zu reißen und vom Reich unabhängig zu werden. Sie allein zogen aus der Reformation Nutzen, nicht ihre wirtschaftlich und politisch schwachen Untertanen.
Schauplatz der Reformation in Weimar waren die Stadtkirche zu St. Peter und Paul und das weitläufige, 1453 errichtete Franziskanerkloster, das zwischen der heutigen Böttchergasse, dem Palais und der Geleitstraße lag. Nachdem Luther 1517 in Wittenberg seine Thesen gegen den Ablaßhandel angeschlagen hatte, bekannten sich hier zuerst nur zwei junge Mönche zu seinen Forderungen, insgeheim unterstützt von Herzog Johann. Dann predigte Luther am 28. September 1518 auf seiner Reise nach Augsburg in der Weimarer Schloßkirche. Dem Herzog gefiel diese Predigt so gut, daß er den Wittenberger mit einem ansehnlichen Reisegeld versah und die Reformation von nun an offen förderte. Luther war noch zwölfmal in Weimar. Nach 1521 geriet er in zunehmendem Maße in die Abhängigkeit der Fürsten und rief zum Vernichtungsfeldzug gegen die revolutionären Bauern und Handwerker auf. Er veranlaßte auch, daß sein Gegner Thomas Müntzer am 1. August 1524 im Weimarer Schloß verhört wurde. So setzte sich die Reformation in Weimar ohne jeden Widerstand durch. Die Franziskaner mußten die Stadt verlassen, alle Klöster dienten fortan weltlichen Zwecken, das Kirchenvermögen fiel den Landesherrn zu. Die Stadtkirche wurde 1547 Begräbnisstätte des weimarischen Fürstenhauses, das sich eng mit der evangelisch-lutherischen Landeskirche verband und die oberste Kirchengewalt ausübte. An der Stadtkirche hatte jahrhundertelang, von 1284 bis zur Reformation, der Orden der Deutschritter gewirkt, der in Weimar unter anderem das Schulwesen und die Armenpflege begründet hat. Das Komturhaus des Ordens stand am heutigen Herderplatz, dort, wo sich seit 1566 einer der schönsten Renaissancebauten der Stadt erhebt. Er trägt seinen Namen, Haus der Deutschherren, allerdings zu Unrecht, weil der Orden bereits vor der Errichtung des Baues aus Weimar verschwunden war. In der Renaissancezeit wurden in Weimar viele stattliche Gebäude und bedeutende Kunstwerke geschaffen. Davon zeugen viele Bürgerhäuser, das Rote Schloß, das Westtor der Bastille und das Altargemälde von Lucas Cranach in der Stadtkirche. Diese erste kurze Blüte Weimars ist mit dem verhängnisvollen Ausgang der Reformation ebenso verflochten wie mit dem Machtkampf der deutschen Fürsten gegen die zentrale Reichsgewalt. 1531 hatten sich die protestantischen Landesherren und die Reichsstädte gegen Karl V. im Schmalkaldischen Bund zusammengeschlossen. Als der Kaiser sich anschickte, das protestantische Lager mit ausländischer Hilfe zu zerschlagen und dabei das politische Übergewicht der Landesfürsten zu beseitigen, verließ Herzog Moritz von Sachsen, der bedenkenlose „Judas von Meißen", seine protestantischen Glau-

bensgenossen und ging ins katholische Lager über. Gleichzeitig überfiel Moritz das Land seines wettinischen Vetters, des Kurfürsten Johann Friedrich von Sachsen-Wittenberg. In der Schlacht von Mühlberg an der Elbe, die Karl V. und Moritz gegen den letzten Schutzherrn Luthers führten, verlor Johann Friedrich 1547 auch sein ernestinisches Kurland mit Wittenberg als Regierungssitz und geriet in Gefangenschaft. Seiner Familie blieben nur die thüringischen Landesteile, in deren Hauptstadt Weimar Johann Friedrich nach seiner Freilassung im Jahre 1552 übersiedelte. Damit erhob sich die bisherige Nebenresidenz zum Mittelpunkt des neuen ernestinischen Landes Thüringen, das sich aus Gebieten um Weimar, Jena, Gotha, Eisenach, Coburg und Altenburg zusammensetzte. Infolge der Übersiedlung des Wittenberger Hofes wuchs die Einwohnerzahl Weimars auf etwa 3200. Das hatte zur Folge, daß sich die soziale Zusammensetzung der Bevölkerung wesentlich änderte. Aus einer Ackerbürgerstadt, deren Bewohner in der Hauptsache Handwerker, Händler, Krämer, Fuhrleute und Bauern gewesen waren, entwickelte sich ein Fürstensitz, in dem nun Adlige und Hofbeamte den Ton angaben. Da die vorhandenen Wohnhäuser für solch einen Zustrom von Höflingen und deren Anhang nicht eingerichtet waren, mußte gebaut werden. Johann Friedrich und sein Nachfolger hatten zudem das Bestreben, dem allzu dürftigen Landstädtchen das Ansehen einer Residenz zu geben. Zunächst wurden die Scheunen innerhalb der Stadt abgerissen und die frei umherlaufenden Schweine, Hühner und Gänse vor die Mauer getrieben. Der Schweinemarkt durfte nicht mehr im Stadtgebiet abgehalten werden. Der Marktplatz erhielt ein Pflaster, am Stadtschloß wurde eifrig gebaut, und zwei neue Schlösser, das Rote und das Grüne Schloß, wuchsen in kurzer Zeit empor. Die Erhebung Weimars zur Landeshauptstadt, die Aufträge des Hofes an Händler und Handwerker und der Zustrom von Gästen beschleunigten den Geldumlauf. Dadurch kamen viele Einwohner zu Wohlstand und die meisten Bürger begannen, ihre Häuser umzugestalten oder sich neue zu errichten. So entstanden unter Leitung des begabten Baumeisters Nicol Gromann aus Torgau am Markt ansehnliche Renaissancebauten wie das Rathaus, das Cranachhaus, der Schwarze Bär und das 1547 fertiggestellte Stadthaus, das jahrhundertelang als Rats- und Handelshaus benutzt wurde und bis zu seiner Zerstörung im letzten Krieg als schönstes Renaissancegebäude Weimars galt.
Neben dem heute nicht mehr vorhandenen Stadthaus stehen zwei Zwillingshäuser, beide 1459 von Gromann für den weimarischen Kanzler Brück und den herzoglichen Sekretär Pestel erbaut. Dr. Christian Brück war der Schwiegersohn von Lucas Cranach dem Älteren, der als Hofmaler dem vertriebenen Kurfürsten Johann Friedrich gefolgt war und mit seiner Werkstatt herrliche Gemälde nach Weimar gebracht hat. Cranach bewohnte das Haus

seines Schwiegersohnes Brück von September 1552 bis zu seinem Tode am 16. Oktober 1553. Ihm zur Seite stand sein Sohn, Lucas Cranach der Jüngere, dessen großes dreiteiliges Altarbild im Jahre 1555 im Chor der Stadtkirche aufgestellt wurde. Dieses großartige, im gleichen Jahre vollendete Gemälde gehört zu den bedeutendsten Schöpfungen der Tafelmalerei des 16. Jahrhunderts in Deutschland.

Im 17. Jahrhundert erreichte Weimar nicht die kulturelle Höhe des vorangegangenen Jahrhunderts, obwohl die Schrecken des Dreißigjährigen Krieges an der Stadt vorübergezogen waren. Gelegentlich eines Treffens der sächsischen Linien traten die Weimarer Fürsten als Mitbegründer der „Fruchtbringenden Gesellschaft" auf, die 1617 nach italienischem Vorbild auf Schloß Hornstein gegründet wurde und seit 1651 unter dem Namen „Palmenorden" in Weimar ihren Sitz hatte. Bürgerliche Dichter und Gelehrte wie Logau, Opitz, Gryphius und Neumark gehörten zu dieser verdienstvollen Gesellschaft, die sich für eine Reinigung der deutschen Sprache und für eine nationale Kultur einsetzte.

Seit der Hof im Jahre 1696 dazu überging, im Schloß Opern aufzuführen und eine gute Hofkapelle zu schaffen, blühten auch die Künste in Weimar wieder auf. 1700 wurde die Bibliothek durch die von Friedrich von Logau zusammengetragene und eine Zeitlang von Andreas Gryphius betreute Sammlung von Geschichtswerken erweitert. Acht Jahre danach kam Johann Sebastian Bach als Hoforganist und Kammermusiker nach Weimar. Bach blieb zwar damals noch der barocken Kultur mit ihrer höfischen Grundhaltung verbunden, brachte aber schon in seinen Weimarer Werken die Empfindungen des aufstrebenden Bürgertums zum Ausdruck. Neun Jahre wirkte er hier. Er hat in dem nicht mehr vorhandenen östlichen Teil des heutigen Parkhotels am Marktplatz gewohnt, wo ihm und seiner Frau Barbara im November 1710 Wilhelm Friedemann, 1714 Carl Philipp Emanuel und 1715 Johann Gottfried Bernhard geboren wurden. Nachdem er 1713 ein Angebot als Organist nach Halle abgelehnt hatte, ernannte ihn der Herzog 1714 zum Konzertmeister an der Weimarischen Hofkapelle. Bachs Wirkungsstätte, die Schloßkapelle, befand sich im Ilmflügel des 1774 abgebrannten Schlosses. Da er auch in der Stadtkirche Orgel spielte, wobei er eigene Werke bevorzugte, nahmen große Teile der Weimarer Bevölkerung an seinem Wirken Anteil.

Es wirft ein bezeichnendes Licht auf die erniedrigende Behandlung, der bürgerliche Bedienstete an absolutistischen Höfen ausgesetzt waren, daß Bach am 6. November 1717 auf Anweisung seines Herzogs in Arrest geworfen wurde. Er hatte es abgelehnt, noch länger als Hofmusiker in Weimar zu bleiben und wollte nach Köthen gehen. Der Despot bestrafte die Unbotmäßigkeit seines Konzertmeisters mit vierwöchiger Kerkerhaft. „Am 6. November",

so heißt es im amtlichen Bericht, „ist der bisherige Konzertmeister und Hoforganist Bach wegen seiner halsstarrigen Bezeugung und zu erzwingender Dimission auf der Landrichterstube arretiert und endlich den 2. Dezember darauf mit angezeigter Ungnade ihm die Dimission durch den Hofsekretär angedeutet und zugleich des Arrestes befreyet worden."
Nach seiner Entlassung aus dem Gefängnis siedelte Johann Sebastian Bach nach Köthen über, wo er sich als Kapellmeister bei Fürst Leopold von Anhalt-Köthen großer Wertschätzung erfreute.

Das Streben der politisch unbedeutenden und wirtschaftlich beschränkten Weimarer Fürsten nach kultureller Geltung, die billiger zu stehen kam als teure Heere, Eroberungskriege und kostspieliger Prunk, fand seinen Ausdruck nicht nur in Opernaufführungen und Konzerten. Anfang des 18. Jahrhunderts erwarb Herzog Wilhelm Ernst eine ansehnliche Gemäldesammlung. Sie enthielt Werke von Aldegrever, Dürer, Cranach, Tintoretto, Wouwerman, Jan Steen, Guido Reni und Rubens und bildet heute den Grundstock der bedeutenden Weimarer Kunstsammlungen.

Wie aber sah es in der Stadt aus? Immer noch herrschte hier das dörfliche Gepräge vor. Zu einem wirtschaftlichen Aufschwung hätte daher zu Beginn des 18. Jahrhunderts der vom Herzog zur Steigerung seiner Steuereinnahmen gefaßte Plan werden können, in Weimar Textilmanufakturen zu errichten. Er scheiterte am Widerstand der im Zunftgeist befangenen Handwerksmeister. Aus dem gleichen Grunde mußten auch die vom Landesherrn herbeigeholten französischen Flüchtlinge die Stadt wieder verlassen. So war das starre Festhalten am alten die Hauptursache dafür, daß in Weimar weiterhin mittelalterliche Verhältnisse vorherrschten, während der Hof sich dank der Leistungen bürgerlicher Baumeister, Musiker und Maler anschickte, Weimar das Gesicht eines aufgelockerten, kulturell regsamen Fürstensitzes zu geben. Manches schöne Barockgebäude entstand während dieser Zeit, so das heiter beschwingte Lustschloß Belvedere und das Vordere Schloß auf dem Ettersberg.

Bis zum Vorabend der klassischen Zeit war die herzoglich-sächsische Hauptstadt ein unscheinbares Landstädtchen geblieben wie Hunderte andere in Deutschland, das auf kulturellem Gebiet vom benachbarten Erfurt entschieden übertroffen wurde. Die Ursache für die nun einsetzende größte Blütezeit Weimars war das Bestreben der früh verwitweten, geistig aufgeschlossenen Herzogin Anna Amalia, bürgerliche Schriftsteller und Künstler zur höheren Ehre des weimarischen Hofes heranzuziehen und auf diese Weise den Ort aus seiner mittelalterlichen Enge zu lösen. Als ersten berief sie 1772 den berühmten Dichterphilosophen Christoph Martin Wieland zur Erziehung ihrer Söhne Carl August und Con-

stantin nach Weimar. Sie wollte ihnen die beste Erziehung angedeihen lassen, die in Deutschland möglich war. Wieland lebte seit 1769 als Professor für Philosophie und Geschichte an der kurmainzischen Universität Erfurt. In Weimar war er als Verfasser des ersten deutschen Bildungsromans „Agathon", der Verserzählung „Musarion" und des Romans „Der goldene Spiegel oder Die Könige von Scheschian" hoch geschätzt. „Der goldene Spiegel" vor allem hatte die aufgeklärte Fürstin für den Dichter eingenommen. Mit einem Seitenblick auf den benachbarten Weimarer Hof, mit dem er seit 1770 verhandelte, entwarf Wieland das Wunschbild eines aufgeklärten Staatswesens mit einem Musterfürsten an der Spitze. Wieland, ein Feind gewaltsamer politischer Lösungen, redete damit der Verständigung zwischen dem aufstrebenden Bürgertum und der alten Adelsherrschaft das Wort und schien daher für eine Tätigkeit am Weimarer Hof besonders geeignet.
1773 begründete er hier die Monatsschrift „Teutscher Merkur", die er jahrelang allein herausgab. In dieser Bildungszeitschrift, die alle Wissensgebiete umfaßte, erwies sich Wieland als einer der großen Wortführer des deutschen Humanismus und als Kämpfer gegen die französische Überfremdung der deutschen Kultur. Bedeutende Werke aus Wielands Weimarer Zeit sind der satirische Roman „Die Abderiten", in dem er das kleinstädtische Philistertum angriff, und das von Goethe begeistert aufgenommene Versmärchen „Oberon", das später Carl Maria von Weber für seine gleichnamige Oper verwandte. Drei Jahre nach Wielands Eintreffen holte Herzog Carl August, der 1775 die Regierung übernommen hatte, den jungen Goethe nach Weimar, auf dessen Empfehlung ein Jahr darauf Johann Gottfried Herder berufen wurde. Herder, der vielseitige, gedankentiefste Geist der deutschen Aufklärung, hegte eine ebenso tiefe Verachtung für die unzähligen Zwangsherrschaften in Deutschland wie für jene Bürgerlichen, die sie unterstützten oder duldeten. Herders Wirken ist für die Entwicklung der deutschen Literatur im 18. Jahrhundert nicht hoch genug zu veranschlagen. Unter seinem Einfluß hatte Goethe in Straßburg den Weg vom erstarrten, höfisch gebundenen Rokokovers zur volkstümlichen Lyrik gefunden und war, wie er in „Dichtung und Wahrheit" dankbar bezeugt, durch ihn zur Einsicht gelangt, daß die Dichtkunst dem ganzen Volke gehöre und nicht das Privileg einer bevorrechtigten Schicht sei. Herder befruchtete das Schaffen seiner Zeitgenossen, indem er ihnen neue Werke erschloß, kämpfte um die Reinhaltung der deutschen Sprache und spürte, darin Lessing folgend, verschüttetem Kulturerbe nach. Als Theoretiker des Sturm und Drang wurde er zum Wegbahner der ersten demokratischen Bewegung in der deutschen Literaturgeschichte. Er entdeckte als erster, daß Dichtkunst nur geschichtlich betrachtet werden könne und jedes literarische Werk aus den Bedingungen seiner Zeit heraus zu verstehen sei.

Unter dem Wirken dieser Großen begann die klassische Zeit Weimars, die den Ruhm des Ackerbürgerstädtchens bald in alle Welt hinaustrug. Trotz widriger Umstände vollbrachten Wieland, Goethe, Herder und später Schiller jene nationale Leistung, die einen unbedeutenden Fürstensitz zum Ausgang für die kulturelle Erneuerung Deutschlands werden ließ. Mit ihrem Erscheinen ging die geistige Führung an die nach Weimar gekommenen Dichter und Denker über.

Goethe versuchte in seiner ersten Weimarer Zeit selbst in die Wirtschaft und Politik des Landes mit ordnender Hand einzugreifen. Von der Staatsführung über Straßen- und Schloßbau, über Finanzwesen und Steuerreform bis zur Wiederbelebung des Bergbaus in Ilmenau reichte sein tätiges Interesse. Aber schon bald litt er unter dem Elend des thüringischen Zwergstaates, den er unter schweren Enttäuschungen und persönlichen Opfern umzugestalten versuchte. Zwar gelang es ihm, den wirtschaftlichen Zusammenbruch zu verhüten und auf Teilgebieten Verbesserungen zu erreichen, aber im Großen mußte er an den miserablen gesellschaftlichen Verhältnissen des Herzogtums scheitern. Völlig entmutigt verließ er 1786 Weimar und floh, einen Kuraufenthalt in Karlsbad nutzend, von Böhmen aus nach Italien.

Als Goethe zwei Jahre später geläutert und gestärkt nach Weimar zurückkehrte, bedrückten ihn zwar erneut jene kleinlichen Sorgen und Widerwärtigkeiten, die ihm das erste Jahrzehnt seines Weimarer Aufenthaltes vergällt hatten. Aber die von der Französischen Revolution herrührenden Ideen, die 1794 sich anbahnende Freundschaft mit Schiller, die ihn aus seiner Vereinsamung herausführte, ließen ihn, der in Italien als Dichter und Denker zu Selbstzucht und Klarheit vorgeschritten war, endgültig über seine Umgebung hinauswachsen. Unter seiner Führung erhob sich Weimar zum geistigen Sammelpunkt aller fortschrittlichen Deutschen, die sich in einem zerrissenen, zersplitterten Deutschland mehr denn je nach nationaler Einheit sehnten. Neben ihm wirkten Herder, Schiller, Wieland und die anderen Großen der deutschen Aufklärung und Klassik für die Ideen des Fortschritts und des Humanismus. Goethe, der größte unter ihnen und zugleich einer der wenigen Deutschen, die uneingeschränkt Weltgeltung besaßen, hat während seines langen Lebens in Weimar das Erbe der gesamten abendländischen Kultur in sich aufgenommen und schöpferisch verarbeitet. Er hat hier mit wachen Sinnen die Ablösung des Mittelalters und einen der aufrüttelndsten Abschnitte der Weltgeschichte miterlebt. So wurde er, der Bürger eines thüringischen Landstädtchens, zum Inbegriff des klassischen deutschen Nationalautors.

Die unter dem Einfluß der Weimarer Klassiker sich vollziehende Wende fand äußerlich ihren Ausdruck in der größten Veränderung des Stadt- und Landschaftsbildes, die die

Stadt bisher erlebt hatte. Der Abbruch der Befestigungsmauern wurde fortgesetzt, Gräben wurden zugeschüttet und Wälle abgetragen. An ihre Stelle traten aufgelockerte Grünanlagen und helle freie Plätze. Im Süden und Westen brachen die jahrhundertealten Stadtgrenzen auseinander. Wo sich bisher Äcker, Wiesen und Scheunen ausgebreitet hatten, entstanden schöne Straßenzüge. Unter Goethes verständnisvoll tätiger Anleitung setzte sich der neuklassizistische Baustil mit seinen klar gegliederten Fassaden und seinen anmutigen Dreieckgiebeln nicht nur bei höfischen Gebäuden durch, sondern auch bei Bürgerhäusern. Auch das 1774 abgebrannte Stadtschloß wuchs unter Goethes Aufsicht neu empor.

Zu den großartigsten Leistungen jener Jahrzehnte gehört die ausgedehnte Parkanlage, die dem mittelalterlich begrenzten Städtchen ein gänzlich anderes Aussehen gab. In enger Anlehnung an die natürliche Landschaft entstand ein heiterer, mannigfaltig aufgelockerter Park, der die Verbindung zu den abgelegenen Schlössern Belvedere und Tiefurt herstellte. Die Geschichte des Parks ist mit der klassischen Periode Weimars aufs engste verknüpft. Seine beiden Ausgangspunkte waren der fürstliche Garten am Stern und der Welsche Hofgarten, der etwa zwischen dem Haus der Frau von Stein und dem heutigen Thüringischen Landeshauptarchiv lag. Nach dem Verfall dieser Hofgärten wuchs der Park seit 1778 von der Gegend am Borkenhäuschen aus allmählich rechts und links der Ilm hinaus bis Oberweimar. Erst um 1828 fand diese Entwicklung ihren Abschluß. Väter des Gedankens, die Hofgärten in einen freien Landschaftsgarten nach englischem Vorbild umzugestalten, der dem bürgerlichen Geschmack entgegenkam, waren vor allem Goethe, Bertuch, Herzog Carl August und der rührige Garteninspektor Johann Christian Sckell.

Goethe wohnte in den ersten Jahren seines Weimarer Aufenthalts am liebsten mitten im Park. Im April 1776 hatte er am Stern ein verfallenes Anwesen als Geschenk Carl Augusts gern übernommen. Begeistert widmete er sich der Neugestaltung, und so entstand auch das hinter dem Hause gelegene Gärtchen völlig neu. Die aufgelockerte, dem natürlichen Wachstum der Pflanzen sich anschmiegende Form entsprach Goethes Anschauung von der Zweckmäßigkeit und Schönheit der Natur weit mehr als die barocke Gartenkunst, die gewaltsame Veränderungen des natürlich Wachsenden liebte und erkünstelte Formen bevorzugte. Goethes Häuschen an der Ilm gibt einen überzeugenden Eindruck von der damaligen Lebensweise des Dichters und von seinem engen Verhältnis zur Natur. Es bezeugt auch seinen Willen, sich außerhalb des verlogenen Treibens am Hofe Carl Augusts eine Zuflucht zu schaffen, wo er ungestört arbeiten konnte. Hier entstand das berühmte Gedicht „An den Mond", hier arbeitete der Dichter an „Egmont", „Iphigenie" und an der Urfassung des „Wilhelm Meister".

Zwei andere Stätten, die am Vorabend der klassischen Zeit als gesellige Mittelpunkte Weimars eine Rolle gespielt haben, sind Schloß Tiefurt, nordöstlich von Weimar, und das Wittumspalais. Schloß Tiefurt, einer der drei Witwensitze Anna Amalias, ein schlichter rechteckiger Bau ohne künstlerische Bedeutung, war ursprünglich Gutshaus. Das Innere zeugt von der Sparsamkeit der Bewohnerin, die sich als Herzoginmutter eines verarmten Kleinstaates keinen größeren Aufwand leisten durfte. So begnügte sie sich anstelle von kostbaren Kunstwerken mit Nachbildungen von Bildhauerwerken aus Papiermasse, mit Aquarellen, Kupferstichen und Schattenrissen, die viele Wände des Schlößchens schmückten. Bei ihrem Streben, zur Unterhaltung und zum Glanze ihres kleinen Hofes einen Kreis geistreicher Menschen um sich zu scharen, ließ sie sich von ihrer Liebe zu Kunst und Literatur leiten.

Zu den ständigen Besuchern des sommerlichen Musensitzes gehörten vor allem Wieland, der als ehemaliger Hofmeister sozusagen zur Familie zählte, ferner Goethe, Herder, Knebel, Musäus und Corona Schröter, wobei sich diese Versammlung überragender Persönlichkeiten vor einem Hintergrund unbedeutender Hofdamen und Kavaliere abspielte. In Tiefurt wurde abwechselnd Liebhabertheater gespielt, Hausmusik betrieben oder aus unveröffentlichten Werken vorgelesen. Eine besondere Rolle kam dabei dem „Journal von Tiefurt" zu, an dem sich alle Großen dieses Kreises beteiligten. Begünstigt wurde das Leben in Tiefurt durch die Nähe des herrlichen Parks, in dem man sich an heiteren Sommertagen mit Vorliebe vergnügte. Hier fand auch 1782 die Uraufführung von Goethes Singspiel „Die Fischerin" mit Corona Schröter in der Titelrolle statt.

Die zweite Stätte geistvoller Geselligkeit, das Wittumspalais, lag inmitten von Weimar, unmittelbar gegenüber dem Komödienhaus. Im Tafelrundezimmer des Schlößchens versammelten sich zu Gesprächen über Kunst und Wissenschaft außer der Herzogin Gruppen bürgerlicher Schriftsteller und Künstler, zu denen Goethe, Herder, Wieland, Musäus, Heinrich Meyer, der Engländer Charles Gore, J. J. Christoph Bode und später auch Schiller gehörten. Im Festsaal fanden zu Lebzeiten Anna Amalias Aufführungen des weimarischen Liebhabertheaters statt, an dessen Aufblühen Goethe starken Anteil genommen hat. Nur dieser Festsaal erinnert daran, daß hier eine Herzogin Hof hielt; sonst ist das Innere des Palais, wie alle in jenen Jahren benutzten herzoglichen Gebäude, auffallend schlicht.

Die Bevölkerung Weimars nahm an dieser ganzen Bewegung keinen Anteil. Lediglich auf wirtschaftlichem Gebiet war zu spüren, daß das Mittelalter allmählich zu Ende ging. Aus alteingesessenen Ackerbürgern wurden Gartenbesitzer, die mehr und mehr zum Gemüse-

und Obstbau übergingen. Wenn aber je ein Mann etwas für den wirtschaftlichen Aufschwung Weimars getan hat, wie er sich als Folge der geistigen Belebung herausbildete, dann war es Friedrich Johann Justin Bertuch. Ursprünglich Geheimsekretär und Schatzmeister Carl Augusts, hatte er sich zunächst als Schriftsteller versucht und war dann mit Beiträgen für Wielands „Teutschen Merkur", als Übersetzer und als Bühnenautor hervorgetreten. Daß er 1791 den Mut hatte, unter dem Namen „Landes-Industrie-Comptoir" ein handwerkliches Großunternehmen ins Leben zu rufen, beweist, daß er über seine persönlichen literarischen Interessen hinaus die volkswirtschaftlichen Erfordernisse seiner Zeit erkannt hatte. Auf einem Grundstück in der Jakobs-Vorstadt, an der heutigen Karl-Liebknecht-Straße, richtete er eine Blumenfabrik, einen Kunstverlag und einen Buchverlag ein, Betriebe, die Bertuch zu einem der reichsten und angesehensten Bürger Weimars aufsteigen ließen. Hier waren schließlich an fünfhundert Lohnarbeiter beschäftigt, unter ihnen Goethes spätere Lebensgefährtin Christiane Vulpius. Bertuch regte auch die Gründung des Freien Zeichnen-Instituts an und leitete mehrere Jahre die Arbeiten im Weimarer Park.
So entwickelten sich in Weimar Handel und Gewerbe, wobei die Bedürfnisse der Bevölkerung allgemein anstiegen. Zu allem trug die wachsende Einwohnerzahl bei, die sich im Verlauf der klassischen Periode verdoppelte und 1832, bei Goethes Tode, auf über 10000 angewachsen war.
In der Stadt, die zum geistigen Mittelpunkt Deutschlands geworden war, kamen auch die Volksbildungsstätten gut voran. Neben den neu gegründeten Schulen verdient das Freie Zeichnen-Institut gerühmt zu werden, das über so treffliche Lehrkräfte wie Kraus, Jagemann, Heinsius, Klauer, Lips, Meyer und Preller verfügte. Dem Institut wurden die herzoglichen Kunstsammlungen zugeführt und, nachdem sie vordem nur dem Vergnügen des Hofes gedient hatten, durch Goethe öffentlich zugänglich gemacht.
An der Spitze aller kulturellen Einrichtungen aber stand das Weimarer Theater, dem Goethes liebevolle Mühe galt. Gemeinsam mit Schiller schuf er eine Bühne, die trotz unzureichender wirtschaftlicher Voraussetzungen für Deutschland vorbildlich wurde und in ihrer zielstrebigen Schauspielererziehung lange unerreicht blieb. Die Geschichte dieses Theaters ist wechselvoll wie die keiner anderen klassischen Stätte Weimars. Nach dem Schloßbrand von 1774 hatte man zuerst daran denken müssen, für die verlorengegangene Spielmöglichkeit – bisher war meist im Schloß gespielt worden – Ersatz zu schaffen. So entstand das Alte Komödienhaus, dessen künstlerischer Leiter von 1791 bis 1817 Goethe gewesen ist. Hier sahen die Weimarer am 31. März 1791 zum erstenmal seinen „Egmont". In den nächsten Jahren ließ Goethe das Innere des Theaters, weil es seinen

Ansprüchen nicht mehr genügte, durch den Stuttgarter Baumeister Thouret umgestalten. Am 12. Oktober 1798 wurde das erneuerte Haus mit „Wallensteins Lager" von Schiller eröffnet. 1799 folgten „Die Piccolomini" und „Wallensteins Tod". In freundschaftlicher Zusammenarbeit zwischen Goethe und Schiller folgten nacheinander „Maria Stuart", „Die Braut von Messina" und „Die Jungfrau von Orleans". Der begeistert aufgenommene „Wilhelm Tell" vollendete am 17. März 1804 den glanzvollsten Abschnitt der klassischen Weimarer Bühne, der 1791 mit der Uraufführung von Goethes „Egmont" begonnen hatte. Damit war der Gipfel einer Entwicklung erreicht, die Weimar zur kulturell bedeutendsten Stadt Deutschlands hatte emporsteigen lassen. Unablässig strömten die Gäste aus allen Teilen der Erde in das Städtchen an der Ilm und in das benachbarte Jena mit seiner berühmten Universität. Ihr Besuch galt den edelsten Bürgern der Nation: den Dichtern Goethe, Schiller, Herder und Wieland in Weimar – den Philosophen und Wissenschaftlern Fichte, Schelling, Hegel, Oken, Humboldt und Hufeland in Jena. Zu ihnen pilgerten Reinhold Lenz, Maximilian Klinger, Friedrich Hölderlin, Jean Paul, Madame de Staël, Adam Mickiewicz, Bettina von Arnim, Carl Maria von Weber, Heinrich Heine und unzählige Freunde des wahren Deutschland, das besonders seit dem Wiener Kongreß unter dem Druck des Feudaljochs seufzte.
Doch als 1803 Herder und 1805 Schiller gestorben waren, als 1806 nach der Schlacht bei Jena auch Weimar unter den Schrecken des Krieges schwer zu leiden hatte und ein großes Gebiet deutschen Landes vom Feinde besetzt war, begann es um Weimar, den Zeitgenossen kaum spürbar, bereits stiller zu werden. 1813 starb Wieland. Im gleichen Jahr zog der Krieg die Stadt erneut in Mitleidenschaft. Nach dem Tode seiner Frau Christiane, 1816, zog sich Goethe von Jahr zu Jahr mehr in die Ruhe des Arbeitszimmers zurück und mancher Gast mußte Weimar wieder verlassen, ohne daß er Gelegenheit gehabt hätte, ihm zu begegnen. Das Ränkespiel seiner Gegner unter Führung Caroline Jagemanns, der bezahlten Geliebten Carl Augusts, verleidete Goethe schließlich die Theaterarbeit in solchem Maße, daß er 1817 die Leitung niederlegte. Als 1825 die Stätte seines langjährigen Wirkens abbrannte, sagte der tief Erschütterte zu Eckermann: „Der Schauplatz meiner fast dreißigjährigen liebevollen Mühe liegt in Schutt und Trümmer ... Ich habe die ganze Nacht wenig geschlafen; ich sah aus meinen vorderen Fenster die Flamme unaufhörlich gegen den Himmel steigen. Sie mögen denken, daß mir mancher Gedanke an die alten Zeiten, an meine vieljährigen Wirkungen mit Schiller und an das Herankommen und Wachsen manches lieben Zöglings durch die Seele gegangen ist, und daß ich nicht ohne einige innere Bewegung davongekommen bin."

Daß Weimar bis weit ins 19. Jahrhundert das Herz Deutschlands geblieben ist, möge ein Wort Schellings belegen, der nach dem Ableben des Dichters schmerzerfüllt ausrief: „Deutschland war nicht verwaist, nicht verarmt, es war in aller Schwäche und innerer Zerrüttung groß, reich und mächtig von Geist, so lange Goethe lebte."
Schon bald nach Goethes Tode mehrten sich die Stimmen, die Weimar den Namen einer lebendigen Stadt absprachen. Wortführer des Jungen Deutschland nannten Weimar einen literarischen Friedhof. Der Literaturforscher Adolf Stahr bezeichnete die Stadt als Pompeji des deutschen Geistes, Gutzkow als das in Verfall gekommene delphische Orakel Deutschlands. Hauptursache dieser brüsken Abwendung vom klassischen Weimar, die übrigens schon um 1800 mit den gehässigen Angriffen August von Kotzebues eingesetzt hatte, war der in Deutschland immer mehr an Boden gewinnende Einfluß der Goethegegner. Unter ihnen ragten nach Goethes Tode wegen ihrer ungewöhnlich breiten Wirkung die Schriftsteller Wolfgang Menzel und Ludwig Börne hervor. In dem von ihm herausgegebenen, weit verbreiteten Literaturblatt erklärte Menzel im Jahre 1835 „Goethe war eine Macht in Deutschland, eine dem äußeren Feinde in die Hände arbeitende, im Innern erschlaffende, auflösende Macht, unser böser Genius ..." Börne schrieb „Dieser Mann eines Jahrhunderts hat eine ungeheure hindernde Kraft; er ist ein grauer Star im deutschen Auge. Seit ich fühle, habe ich Goethe gehaßt ... Es ist mir, als wurde mit Goethe die alte deutsche Zeit begraben; ich meine, an dem Tage seines Todes müsse die Freiheit geboren werden."
Länger als ein Jahrhundert haben die Neider und Widersacher Goethes, zu denen sich die Verfälscher des Schillerschen Lebenswerkes aus dem Lager der junkerlich-bürgerlichen Reaktion gesellten, auf die öffentliche Meinung im deutschen Volke eingewirkt und das Bild des wahren, des humanistischen Weimar verzerrt.
Gefördert wurde diese verhängnisvolle Entwicklung durch die kleinstädtische Dürftigkeit der in jeder Hinsicht beschränkten Weimarer Gesellschaft, die im Beruf des großherzoglichen Bediensteten und im Hoflieferanten das höchste Glück auf Erden sah. So nimmt es nicht wunder, daß der langjährige Intendant des Hoftheaters zu Weimar, Franz von Dingelstedt, ausrief „Mich lüstet nicht, in jener Stadt zu wohnen, sie macht mich selber wie einen Sarkophag." Und der Dramatiker Friedrich Hebbel schrieb im Jahre 1859 seiner Frau, daß er es in Weimar auf die Dauer nicht aushalte, es sei alles unglaublich eng und klein.
Es gelang dem berühmten ungarischen Pianisten und Tonsetzer Franz Liszt und seinem Kreise, die stillgewordene Stadt vorübergehend mit Leben zu erfüllen. Er war im Revolutionsjahr 1848 in die Goethestadt gekommen, um sein bisheriges Wanderleben mit einer Tätigkeit zu vertauschen, die seinem Ideal von der Rolle der Musik beim Entstehen einer

deutschen Nationalkunst entsprach. Seine Vorliebe für Weimar wurde durch eine echte Verehrung für die Meister der deutschen Klassik vertieft, denen er sich innerlich verbunden fühlte. In der ersten Zeit seines Aufenthaltes wirkte Franz Liszt als Kapellmeister, Komponist und Musikschriftsteller, später als Musiklehrer. Seine Gründung der Neudeutschen Schule war eine Kampfansage an jene Kräfte, die nach der gescheiterten bürgerlichen Revolution von 1848 zäh am alten hingen. Aber diese erwiesen sich auf die Dauer als die stärkeren. Franz Liszt mußte trotz anfänglicher Erfolge einsehen, daß die herrschenden Kreise nicht bereit waren, seinem vorwärtsstürmenden Genie zu folgen. Im Jahre 1861 verließ er, ein Musiker von europäischem Rang, verbittert die Stätte seines Wirkens und begab sich nach Rom. Erst acht Jahre später, nach einem an Ehren reichen Leben, entschloß sich Liszt zur Rückkehr, widmete sich aber nur seiner Musik und der Erziehung junger Pianisten.

Auch das Weimarer Theater erlebte nach 1848 dank Liszt und Dingelstedt zeitweise eine Wiedergeburt. Die Aufführungen von Wagners Opern „Lohengrin“ und „Tannhäuser“, Friedrich Hebbels Schauspiel „Nibelungen“ und die großartigen Inszenierungen Shakespearscher Königsdramen waren bedeutsame theatergeschichtliche Ereignisse.

Im letzten Viertel des 19. Jahrhunderts zog die Weimarer Kunstschule die Blicke vieler kunstbegeisterter Menschen auf sich. Anfangs wirkten dort als junge Lehrer die Maler Franz Lenbach, Arnold Böcklin und der Bildhauer Reinhold Begas. Sie ließen sich durch die veralteten, auf die Vergangenheit gerichteten Kunstanschauungen des Großherzogs Carl Alexander nicht beirren und nahmen den nun auch auf dem Gebiet der bildenden Kunst ausbrechenden Kampf um das Neue entschlossen auf. Schon wenige Jahre darauf verließen die drei jugendlichen Meister die Stadt, weil sie ihre kunsterzieherischen Grundsätze nicht durchzusetzen vermochten. Aber das kurze Wirken Lenbachs und Böcklins hatte der realistischen Landschaftsmalerei in Weimar den Weg gebahnt.

Seit anfangs der siebziger Jahre der kraftvolle Düsseldorfer Theodor Hagen und der Berliner Albert Brendel als Lehrer für Malerei berufen worden waren und Karl Buchholz, Paul Tübecke, Ludwig von Gleichen-Rußwurm, Christian Rohlfs, der jüngere Graf Kalckreuth und Paul Baum als Schüler an die Akademie kamen, bildete sich dort die Weimarer Malerschule heraus, eine kleine Gruppe von Künstlern, die Ende des vorigen Jahrhunderts das Neue und Gesunde in der deutschen Malerei am entschiedensten vertrat. Ungewollt war so Carl Alexander, ohne dessen Gründung die Weimarer Malerschule nicht hätte entstehen können, zum Geburtshelfer einer überaus lebendigen, um ihres fortschrittlichen Strebens willen in Deutschland vielbeachteten Kunstrichtung geworden. Daß es dabei nicht ohne schwere Auseinandersetzungen mit dem fürstlichen Schulherrn und den herrschenden Kreisen Weimars abging, zeigt eine Äußerung Kalckreuths aus dem Jahre 1874. „Die Schule kämpft in meist feindlicher Umgebung, die ihrerseits ihre festen Stützen hat; von der Lokalpresse fast totgeschwiegen, vom Publikum mit einer zersetzenden Kritik beehrt ... gegenüber einer heimlichen Agitation.“ Wie fruchtbar sich die Weimarer Lehrstätte dennoch für die Kunst des 20. Jahrhunderts ausgewirkt hat, mögen einige Namen bezeugen, deren Träger dort zeitweise studiert oder gelehrt haben: Max Liebermann, Max Beckmann, Joseph Hegenbarth, Carl Malchin, Henry van de Velde, August Gaul, Alexander von Szpinger, Otto Herbig, Otto Pankok, Walther Klemm, Walter Gropius, Lyonel Feininger und Gerhard Marcks. Um 1900 war es mit dem fortschrittlichen Wirken der Weimarer Malerschule zu Ende. Die Leistungen der Kunstschule unterschieden sich nicht von denen anderer Akademien in Deutschland.

Ein halbes Jahrhundert zog nun über die im Schatten seiner Vergangenheit dahindämmernde Schatzkammer deutscher Kultur hinweg. Was in diesem Zeitraum von Gelehrten an achtungsgebietenden Leistungen vollbracht wurde, der Aufbau des Goethe- und Schiller-Archivs, die Herausgabe aller Goetheschen Werke, die Einrichtung des Goethe-Nationalmuseums und des Schillerhauses, blieb ohne Widerhall im Volk. Weder im Kaiserreich noch in der Weimarer Republik, vom Faschismus ganz zu schweigen, hat sich eine Regierung tatkräftig für die einzigartigen Denkmale deutscher Geistesgeschichte eingesetzt, die Weimar in so reichem Maße besitzt. Es blieb dem Unternehmungsgeist privater literarischer Gesellschaften überlassen, sich der klassischen Stätten und Archive anzunehmen.
Nach der Novemberrevolution von 1918 gab Weimar einem Zwischenspiel deutscher Geschichte seinen Namen, das dem nationalen Unglück des Nationalsozialismus den Weg geebnet hat. Es begann damit, daß die „Volksbeauftragten“ der ersten deutschen Republik im Februar 1919 vor den revolutionären Arbeiter- und Soldatenräten aus Berlin flohen, um in der kleinstädtischen Stille Weimars über die Ausschaltung der Räte zu verhandeln und den immer mächtiger werdenden Aufschwung der Arbeiterklasse einzudämmen. Zu diesem Zeitpunkt fehlte in Deutschland eine revolutionäre Kampfpartei, die die Volksmassen nach dem Vorbild der Großen Sozialistischen Oktoberrevolution zum Siege über den Imperialismus und zur Errichtung der Macht der Arbeiterklasse hätte mitreißen können. So fiel es den herrschenden Klassen des gerade erst gestürzten Kaiserreiches leicht, sich mit Hilfe der rechten Sozialdemokraten zu behaupten. Die Schuldigen am ersten Weltkrieg, das schwerindustrielle Großbürgertum und die Bankherren, die Junker und Gene-

räle, wurden weder entmachtet noch bestraft. Im Gegenteil, sie konnten ihre Machtstellung wieder ausbauen und das deutsche Volk noch einmal in die Katastrophe führen. Darüber täuschen nicht die schönen Worte über Freiheit, Menschenwürde und soziale Gerechtigkeit hinweg, an denen sich damals im Nationaltheater zu Weimar die „Volksbeauftragten" unter Berufung auf den Humanismus Goethes, Schillers und Herders berauscht haben. Der Weimarer Staat ist ruhmlos untergegangen. Unermüdlich haben Reaktionäre aller Schattierungen und nicht zuletzt ihre eigenen Schöpfer auf den Zusammenbruch der Republik hingewirkt. Schon bald waren die letzten Reste jenes bürgerlichen Parlamentarismus beseitigt, die der Weimarer Verfassung den Anschein gegeben hatten, als gehe die Staatsgewalt vom Volke aus.

Ein Jahrzehnt nach Verkündung der Weimarer Verfassung, Anfang 1930, zog der erste nationalsozialistische Minister Deutschlands in Weimar ein. Während ihrer Gewaltherrschaft legten die Faschisten ohne Verständnis für die Vergangenheit der Goethestadt einen Teil der Altstadt nieder und errichteten dort einen häßlichen Zwingbau. Dieser Barbarei folgte eine Untat, die in ihrer menschenverachtenden Grausamkeit schwerlich zu überbieten ist: Vor den Toren Weimars, auf dem Ettersberg, ließen die Nationalsozialisten durch politische Gefangene das Konzentrationslager Buchenwald aufbauen. Über eine viertel Million wehrlose Menschen aus 32 Ländern mußten hier unmenschliche Grausamkeiten erdulden. 56000 Gegner Hitlers ließen im Buchenwald ihr Leben, unter ihnen am 18. August 1944 Ernst Thälmann, der Führer der deutschen Arbeiterklasse.

Im Stadtgebiet zog die von den Nationalsozialisten entfesselte Kriegsfurie viele klassische Stätten in Mitleidenschaft. Am 9. Februar stürzten die Toreinfahrt, mehrere historische Räume und das Dachgeschoß von Goethes Wohnhaus unter den Bomben der westlichen Alliierten zusammen. Die gegenüberliegende Häuserzeile am Frauenplan, die Nordseite des Marktes und das Stadthaus brannten bis auf die Grundmauern nieder. Goethes Wohnung im Jägerhaus, sein erstes Ankunftsquartier im Deutschritterhaus und das Gartenhäuschen des Dichters wurden schwer beschädigt. Von Sprengbomben mitten ins Herz getroffen waren die Wohnstätten Cranachs, Bachs, Herders und Schillers. Im klassischen Park an der Ilm reihte sich ein Bombentrichter an den anderen. Ausgebrannt waren die Häuser von Corona Schröter, Goethes erster Iphigenie, und von Eckermann; am Theaterplatz boten die Ruinen des Nationaltheaters und des Wittumspalais das trostlose Bild sinnloser Zerstörung. Es schien manchem, als wäre das klassische Weimar unwiederbringlich dahin.

Als sich 1945 die Tore von Buchenwald öffneten, begann für Weimar ein neues Zeitalter. Kurz vor der Zerschlagung des „Dritten Reiches" waren die Faschisten und die noch immer im Stadtschloß wohnende großherzogliche Familie geflohen. 1947 bestimmte der Alliierte Kontrollrat die entschädigungslose Enteignung des Großgrundbesitzes aller am zweiten Weltkrieg Schuldigen und erfüllte damit die jahrhundertealte Forderung des Volkes nach gerechter Verteilung von Grund und Boden, jene Forderung, die bereits 1525 von den aufständischen Bauern, 1848 vom fortschrittlichen Bürgertum und 1918 von den revolutionären Arbeitern erhoben worden war. „Der freie Mensch, das freie Volk auf freiem Grund ist die Forderung unserer Epoche geworden, aus der Forderung der Epoche Goethes hervorgehend ... Wir wollen es offen aussprechen und mit unserer Überzeugung nicht zurückhalten: durch das neue Leben, das wir hier zu leben begonnen haben, wurde unser Blick in einem unvergleichlichen Maße weiter geöffnet als bisher, nicht nur den Schwächen und den Verbrechen der Vergangenheit gegenüber, sondern auch für all das Schöne und Herrliche dieser Welt ...", erklärte Johannes R. Becher am 28. August 1949, dem Tage der 200. Wiederkehr von Goethes Geburtstag, im Nationaltheater Weimar. Wie Grund und Boden, wie Fabriken und Werke, so gingen damals auch die Schlösser, Gedenkstätten, Bibliotheken und Kunstwerke in das Eigentum des Volkes über, das nun das kulturelle Erbe seiner Dichter und Denker antrat. Unter diesem Zeichen standen die Goethe-Festtage der Deutschen Nation im Sommer 1949. Gäste aus aller Welt waren erschienen, unter ihnen viele, die Weimar seit den Goethe-Feiern von 1932, den letzten vor der Gewaltherrschaft, voller Abscheu und Trauer gemieden hatten. Diese Besucher, entschiedene Gegner jener Mächte, die den einst so geachteten Namen Weimar befleckt hatten, erwarteten von den neuen demokratischen Kräften, daß sie sich mit dem Widerspruch zwischen der sittlichen Botschaft der Klassiker und den Untaten der faschistischen Barbaren auseinandersetzen würden. Um das zu erreichen, mußte das Erbe, dem Weimar seinen Glanz verdankt, neu erforscht und sichtbar gemacht werden. Die Voraussetzungen zur Lösung dieser nationalen Aufgabe wurden damals in Weimar geschaffen. Was unter ungünstigen äußeren Bedingungen entstand, wenige Jahre nur nach einer Zeit beispielloser Unkultur und schamloser Geschichtsfälschung, war eine kulturelle Tat. Unter Anspannung aller Kräfte, bei echter Anteilnahme aller Bevölkerungsschichten war es gelungen, die Kriegswunden weitgehend zu heilen. Der durch Bomben zerstörte Flügel des Goethehauses bot sich wieder in seinem historisch überlieferten Zustand. Bereits am 28. August 1948, zu Goethes 199. Geburtstag, konnte das Nationaltheater neu geweiht werden. Schillerhaus, Wittumspalais und Römisches Haus waren instandgesetzt, ebenso die Goethegärten am Frauenplan und um das Gartenhaus am Stern. Aber so groß die Anstrengungen, so bewundernswert die Leistungen dieser ersten Aufbaujahre auch gewesen sind, sie waren doch nur ein Anfang, denn seither hat sich das Gesicht Weimars von Grund auf verändert. Das empfindet jeder, der heute die Stadt betritt. Die Botschaft der ersten Goethe-Kundgebung der befreiten Nation ist nicht verhallt. Weitgehend erfüllt sind die Hoffnungen jener, die 1949 nach Jahren der Dumpfheit und Barbarei den Spuren Cranachs und Bachs, Goethes und Schillers, Herders und Wielands nachgingen, tief erschüttert, weil neben den Gedenkstätten wahrer Menschlichkeit die Mahnmale einer beispiellosen Menschenverachtung sich erhoben.

Im vergangenen Jahrzehnt haben sozialistische Wissenschaftler den Boden für eine großzügige, auf der Grundlage des Marxismus-Leninismus arbeitende Forschung bereitet, deren Ergebnisse allen friedliebenden Menschen zugute kommen. An der Spitze der kulturellen Einrichtungen stehen die Nationalen Forschungs- und Gedenkstätten der klassischen deutschen Literatur, in denen seit 1953 alle Museen und Archive mit den Schätzen aus Weimars großer Zeit vereinigt sind. Der Aufschwung, den sie genommen haben, findet seinen Ausdruck in der internationalen Wertschätzung ihrer fachlichen Arbeit, in den steigenden Besucherzahlen, vor allem aber in der wachsenden Liebe der arbeitenden Menschen zu ihren klassischen Stätten. In fruchtbarem Gedankenaustausch mit Akademien, Universitäten und Hochschulen entsteht hier, wie Alexander Abusch bei der 75-Jahrfeier der Goethe-Institute im Herbst 1960 nachwies, ein „geistiges Zentrum, das unserem Volk immer erneuert, vertieft und erweitert den Reichtum humanistischer Gedanken und poetischer Schönheit im Erbe Goethes und Schillers vermitteln hilft“.

Im Deutschen Nationaltheater Weimar finden wir Goethes Forderungen an die Schauspieler, von denen er Selbstzucht, Achtung vor dem Werk und Hingabe an ihren Beruf verlangte, erfüllt und im Sinne des sozialistischen Theaters weiterentwickelt. Zum Nutzen des neuen Besuchers, der aus den Reihen der Arbeiter und Bauern, der Wissenschaftler und Künstler, der Schüler und Studierenden kommt, verbinden sich auch in diesem Hause Tradition und Fortschritt, denn das Deutsche Nationaltheater Weimar vermittelt nicht nur jährlich Hunderttausenden die Bühnenwerke unserer Klassiker, sondern fördert mit gleicher Tatkraft das dramatische Schaffen der Gegenwart. Wie diese beiden weltbekannten Stätten leisten die Franz-Liszt-Hochschule für Musik und die Hochschule für Architektur und Bauwesen ihren Beitrag zur Pflege und Weiterführung des kulturellen Erbes. Beweis für das außerordentlich rege geistige Leben der Stadt sind auch die Aussprachen auf den zahlreichen Kongressen fachlicher und gesellschaftlicher Organisationen. Gern kommen ihre Mitglieder nach Weimar, um durch Erfahrungsaustausch und Meinungsstreit dazu

beizutragen, daß die Stadt kein Ort erstarrter Tradition wird, sondern im Geiste ihrer großen Denker und Dichter fortwirkt.
Eine besondere Bedeutung hat Weimar für die friedliche Wiedervereinigung unseres Vaterlandes gewonnen. Thomas Mann und Johannes R. Becher haben dem bereits im Goethejahr 1949 und während der Schillerfeiern von 1955 Ausdruck verliehen. Der große spätbürgerliche Schriftsteller und Humanist hatte der Stadt Goethes während seiner freiwilligen Emigration mit leidenschaftlichen Reden und Aufsätzen, vor allem aber mit seinem Roman „Lotte in Weimar“ eine Huldigung bereitet, die das Ansehen des wahren Deutschland in seiner finstersten Zeit hochhielt. Tief bewegt betrat er nach langen Jahren wieder die Stadt, die ihm so teuer geblieben war, und rief allen Deutschen die mahnenden Worte zu: „Was nun ist, schmerzt und reizt und lastet doch schwer genug, und die Sehnsucht, es möchte enden, wäre keinem Volke auf Erden fremd. Eines Tages wird und muß es enden. Mir aber, wie ich hier stehe, gilt es schon heute nicht. Ich kenne keine Zonen. Mein Besuch gilt Deutschland selbst, Deutschland als Ganzem ...“
Am 14. September 1958 weihten Vertreter vieler Nationen die Mahn- und Gedenkstätte Buchenwald ein. Der gewaltige Ehrenhain in der Nähe des ehemaligen Konzentrationslagers soll Zeugnis ablegen von dem Willen der ersten Arbeiter-und-Bauern-Macht in Deutschland, aus den Fehlern der Vergangenheit zu lernen und die Verbrechen zu sühnen, die an aufrechten Deutschen und an unschuldigen Menschen anderer Völker begangen worden sind. Die Barbarei von Buchenwald wird sich nicht wiederholen. Weimar, der Stadt humanistischer Tradition, wird nicht mehr die Schande widerfahren, daß hilflose politische Gefangene durch seine Straßen getrieben werden, hinauf zum Ettersberg, wo einst der Menschheit Goethes „Iphigenie“ geschenkt worden war. Der kühne Bruch mit dem verhängnisvollen Abschnitt der deutschen Geschichte hat uns von einer unerträglichen Last befreit. Indem die Arbeiterklasse in der Deutschen Demokratischen Republik die Wurzeln des Faschismus beseitigte, ermöglichte sie die Wiedergeburt des humanistischen Menschenbildes der Klassik und schuf so die Voraussetzungen für ein neues Menschenbild, den sozialistischen Humanismus.
In den Jahrzehnten nach der gescheiterten Revolution von 1848 hatte das deutsche Bürgertum zu erkennen gegeben, daß es nicht fähig war, eine Brücke zu schlagen zwischen der Gedankenwelt der Weimarer Klassiker und den Forderungen der jungen, vorwärtsstrebenden Arbeiterklasse. Das auf Blut und Eisen gegründete Bismarck-Reich hat nichts mit dem Zeitalter Goethes gemein gehabt. Junkertum und Bourgeoisie griffen während ihrer Auseinandersetzungen um die Einheit Deutschlands wohl Äußerungen unserer Denker und

Dichter auf; sie mißbrauchten sie jedoch zu Chauvinismus und Kriegshetze und beriefen sich bei ihrem Anspruch auf die Weltherrschaft gern auf die Aussprüche Goethes und vor allem Schillers.

Fortschrittlichen bürgerlichen Gelehrten wie Herman Grimm, die sich nach 1871 für eine Wiedererweckung des humanistischen Gedankengutes der Goethezeit einsetzten, war trotz ihres ungewöhnlichen philologischen Fleißes, trotz hervorragender Forschungsergebnisse nur eine begrenzte Wirkung auf einen kleinen Kreis beschieden, weil das Großbürgertum und die mit ihm verbündete Aristokratie nicht im geringsten daran interessiert waren, daß das Geisteserbe von Weimar dem ganzen Volke unverfälscht erschlossen wurde. Solch ein Verlangen konnte nur die Arbeiterklasse haben, die schon früh versuchte, sich das kulturelle Gut der Vergangenheit zu eigen zu machen. Deshalb begannen bereits die Arbeiterbildungsvereine Ende des vorigen Jahrhunderts, sich die Meisterwerke der Weimarer Dichter und Denker kritisch anzueignen. Nach Karl Marx und Friedrich Engels traten Arbeiterführer wie Franz Mehring, Rosa Luxemburg und Clara Zetkin für die Verbreitung der Werke Goethes, Schillers, Herders und Heines ein. Aber erst in unseren Tagen wird es möglich, das humanistische Vermächtnis der Großen von Weimar umfassend und in seinem tiefsten Sinne zu erfüllen.

Im spätmittelalterlichen Weimar

HOF-
APOTHEKE
Weinhandlung
Mineralwasser

I·N·R·I·

Weimar am Vorabend der klassischen Zeit

61

LICHT LIEBE LEBEN
A Ω
IOH. GOTTFR.
VON
HERDER.
GEB. XXV. AUG.
MDCCXLIV.
GEST. XVIII. DEC.
MDCCCIII

ENIO
IUS LOCI

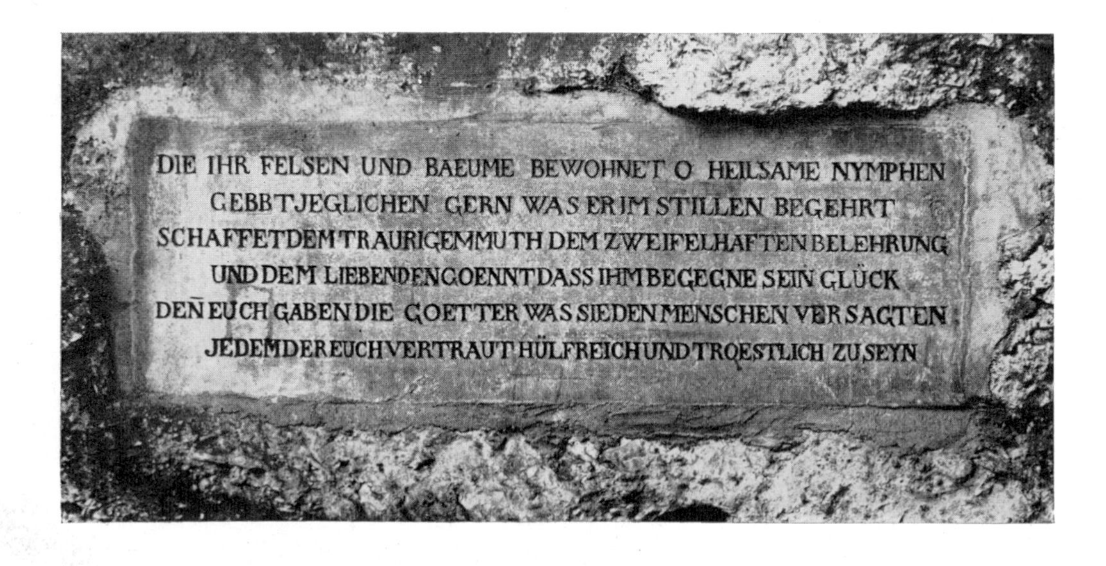
DIE IHR FELSEN UND BAEUME BEWOHNET O HEILSAME NYMPHEN
GEBBT JEGLICHEN GERN WAS ER IM STILLEN BEGEHRT
SCHAFFET DEM TRAURIGEM MUTH DEM ZWEIFELHAFTEN BELEHRUNG
UND DEM LIEBENDEN GOENNT DASS IHM BEGEGNE SEIN GLÜCK
DEÑ EUCH GABEN DIE GOETTER WAS SIE DEN MENSCHEN VERSAGTEN
JEDEM DER EUCH VERTRAUT HÜLFREICH UND TROESTLICH ZU SEYN

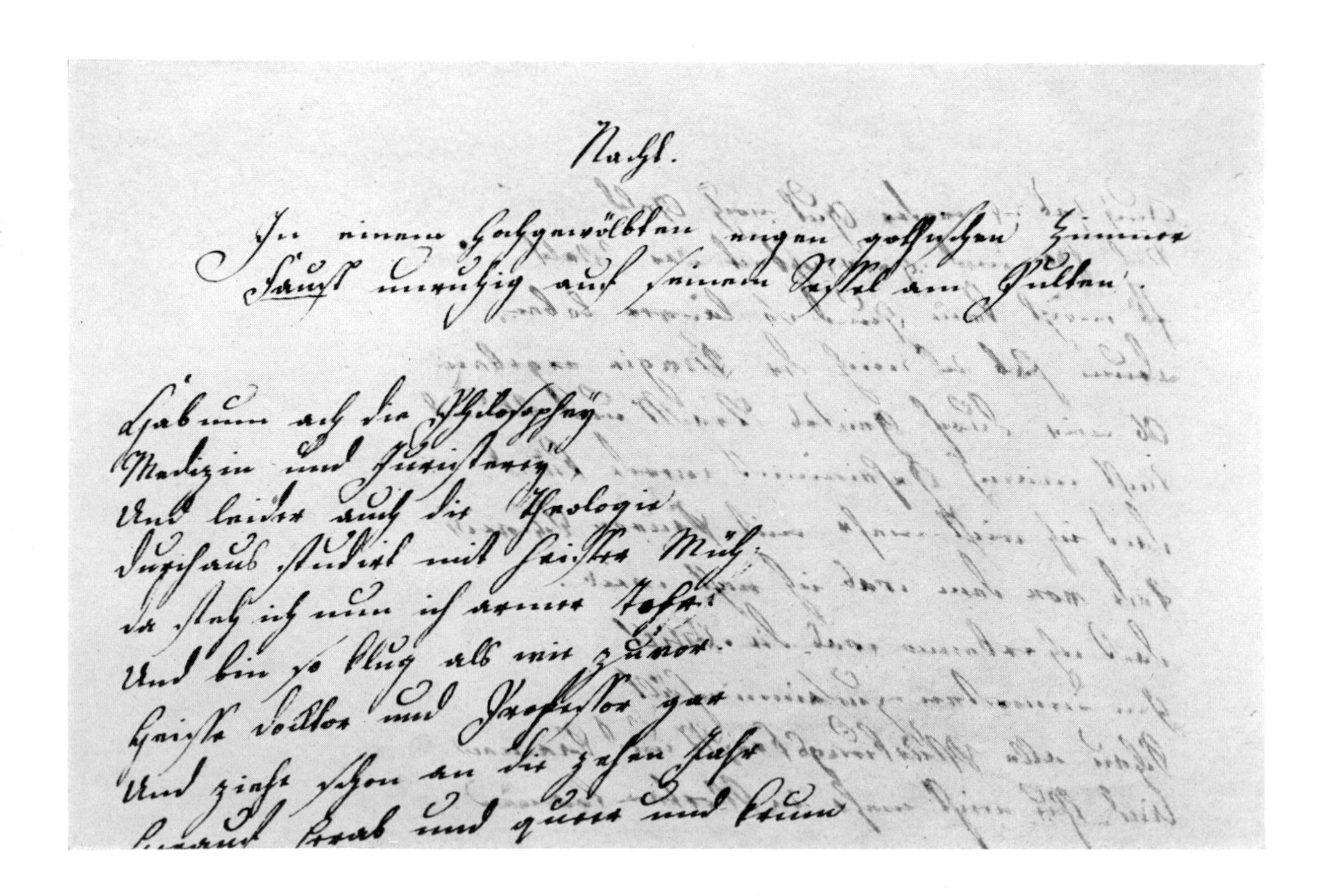

Nacht.

In einem hochgewölbten engen gothischen Zimmer
Faust unruhig auf seinem Sessel am Pulte.

Habe nun ach die Philosophey
Medizin und Juristerey,
Und leider auch die Theologie
Durchaus studirt mit heisser Müh.
Da steh ich nun ich armer Tohr!
Und bin so klug als wie zuvor.
Heisse Docktor und Profeßor gar
Und ziehe schon an die zehen Jahr
Herauf herab und queer und krumm

G M Kraus

Schiller in Weimar

1759
FRIEDRICH SCHILLER
DICHTER DER NATION
1959

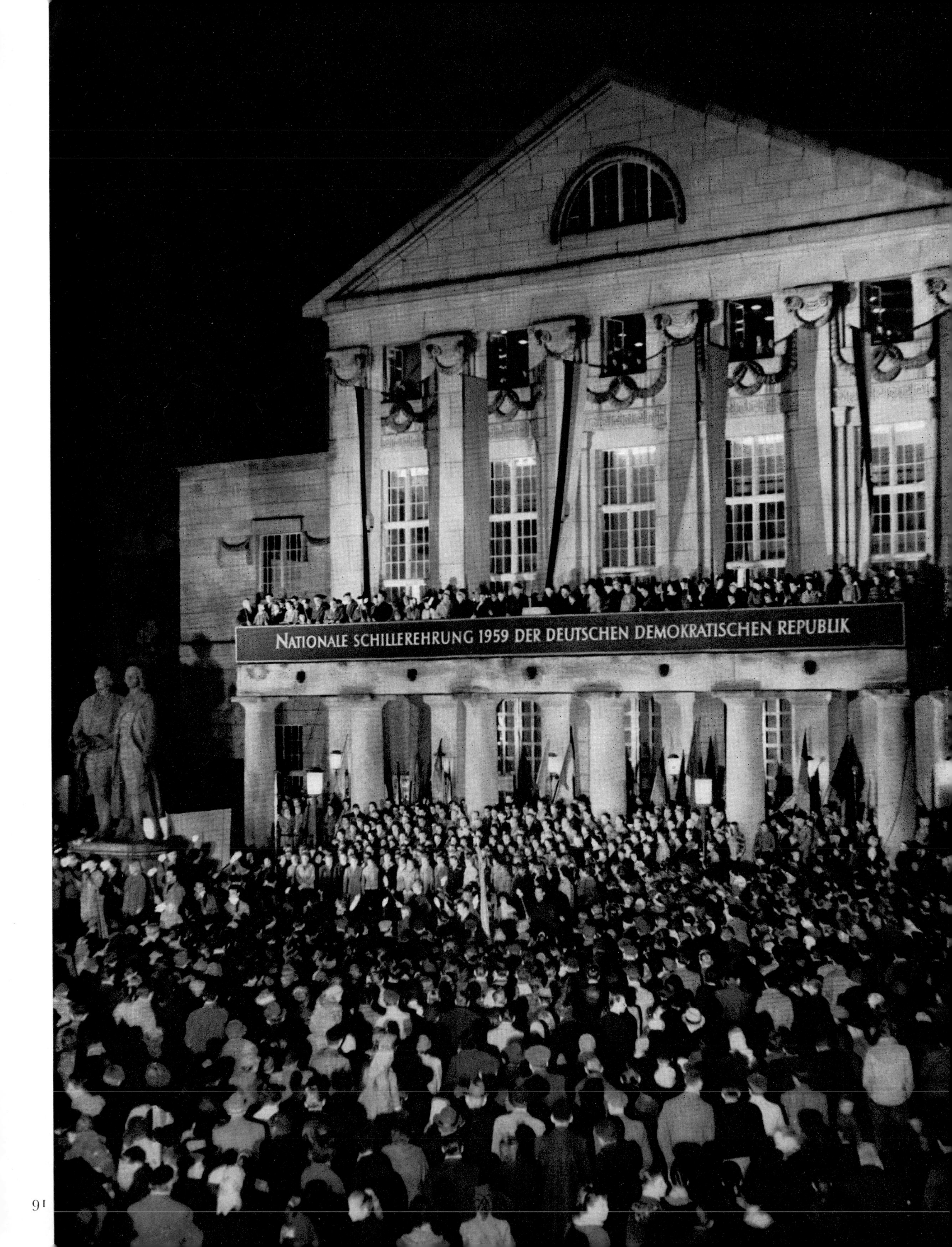
NATIONALE SCHILLEREHRUNG 1959 DER DEUTSCHEN DEMOKRATISCHEN REPUBLIK

Goethe in Weimar

DI FOR EARUM. GEORGIUS. CASPA
HAUSEN. CAMERÆ. SERENISSIMI DUCIS SAXO
VINARIENSIS. COMMISSARIUS. DEUS. TER OPTI
MUS. TER MAXIMUS. SERVET DOMUM
GOETHE-
NATIONALMUSEUM
GOETHEHAUS

SALVE

SCHILLER
GOETHE

Weimar zur Zeit der deutschen Klassik

115 Das Schloß in Weimar

116 Weißer Saal im Schloß
Caroline Jagemann als Muse

117 Großes Treppenhaus im Schloß

118 Rundes Zimmer im Schloß

119 Falkengalerie im Schloß

120 Weimar zu Beginn des 19. Jahrhunderts

121 Konzert der Weimarischen Staatskapelle
im Hof des Schlosses

122 Römisches Haus im Park

123 Durchgang an der Ostseite des Römischen Hauses

124 Bertuch-Häuser

125 Vorhalle und Haupttreppe in den Bertuch-Häusern

126 Im Kirms-Krackow-Haus

127 Hof des Kirms-Krackow-Hauses

128 Eckermanns Grab

129 Johann Peter Eckermann

130 Falks Grab

OVISE

SCHLOSSMUSEUM

Eckermann,
Göthes Freund

129

UNTER DIESEN GRUENEN LINDEN,
IST DURCH CHRISTUS FREI VON SUENDEN,
HERR IOHANNES FALK ZU FINDEN.
KINDER DIE AUS DEUTSCHEN STAEDTEN
DIESEN STILLEN ORT BETRETEN,
SOLLEN FLEISSIC FUER IHN BETEN:
EW'CER VATER DIR BEFEHLE
ICH DES VATERS ARME SEELE
HIER IN DUNKLER CRABESHOEHLE !
WEIL ER KINDER ANCENOMMEN,
LASS IHN EINST ZU ALLEN FROMMEN
ALS DEIN KIND AUCH ZU DIR KOMMEN.
GEB. DEN 28TEN OCT. 1768.
CEST. DEN 14TEN FEB. 1826.

Weimar nach Goethes Tod
Weimar in unseren Tagen

C. BECHSTEIN

Zum Goethehaus

GEDICHTE
GEDICHTE
GEDICHTE
GEDICHTE
Faust II

8
1745
B 1515
B 1518
B 1523
EXTRACTE
EXTRACTE
B 1571
EXTRACTE
EXTRACTE
EXTRACTE
B 1646
B 1647
B 1650

MUSEUM
FÜR UR- UND FRÜHGESCHICHTE THÜRINGENS

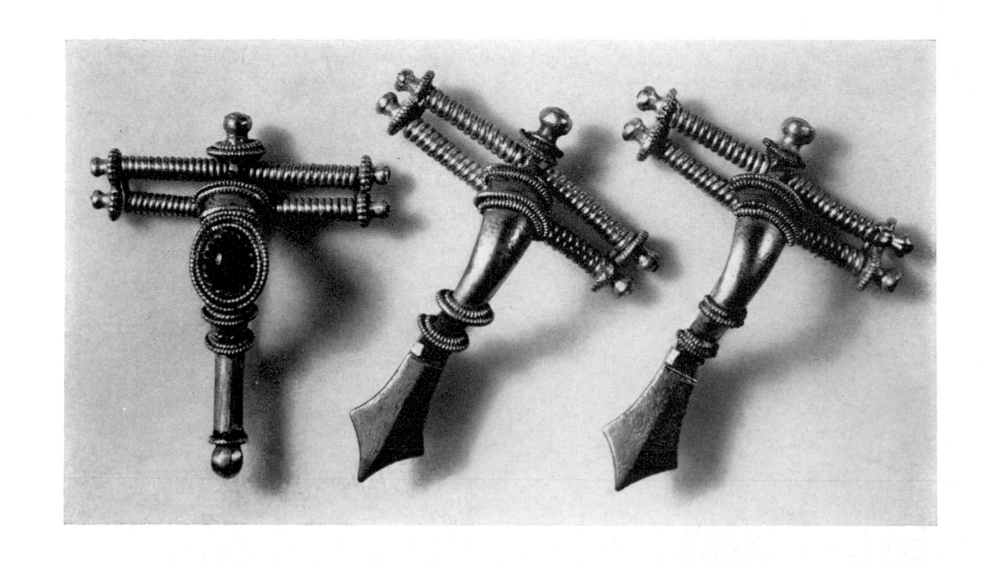

DURCH DIE VOM FASCHISMUS ENTFESSELTE
KRIEGSFURIE VERNICHTET · IN SCHWERER
ZEIT MIT GROSSEN OPFERN NEU ERBAUT ·
WURDE DIESES HAUS DEM DEUTSCHEN VOLKE
UBERGEBEN · DEN WEG ZU WEISEN ZU WAHREM
MENSCHENTUM · 28 · AUGUST 1948

MCMXLV

MAGYARORSZÁG
CCCP
ČESKOSLOVENSKO

Manches Herrliche der Welt
Ist in Krieg und Streit zerronnen,
Wer beschützet und erhält
Hat das schönste Loos gewonnen.

Weimar
10 Nov.
1826

Goethe

Zu den Bildern

5 GOETHE-SCHILLER-DENKMAL, Theaterplatz

Der Dresdener Bildhauer Ernst Rietschel (1804–1861) schuf vor rund hundert Jahren in dem Doppelstandbild Goethes und Schillers ein volkstümliches Denkmal der beiden Dichter. Am 4. September 1857 wurde es während einer festlichen Denkmalswoche vor dem damaligen Hoftheater feierlich enthüllt. Am gleichen Tage folgte die Einweihung des wenig geglückten Wieland-Standbildes von Gasser, nachdem kurz vorher der Grundstein zum Reiterdenkmal Carl Augusts gelegt worden war. Seitdem steht das Denkmal Goethes und Schillers im Mittelpunkt unzähliger Huldigungen für Deutschlands große Söhne. Freunde der Dichter aus aller Welt legen hier an Gedenktagen Kränze nieder.
Rietschel, ein Schüler Christian Daniel Rauchs, teilte dessen ästhetischen Grundsatz, daß die Kunst eine sittlich-erzieherische Funktion ausüben müsse. Er stellte die Weimarer Dichterfreunde aber im Gegensatz zur Ansicht seines Lehrers bewußt in der Tracht ihrer Zeit dar, nicht im antiken Gewande, da er deren Verbindung zum wirklichen Leben hervorheben wollte. Hierbei gelangen Rietschel so feine Differenzierungen, daß er Goethes reife, im Diesseits verwurzelte Menschlichkeit und Schillers jugendlich emporstürmenden Idealismus überzeugend herauszuarbeiten verstand.

Im spätmittelalterlichen Weimar

33 ÜBERRESTE DES EHEMALIGEN FRANZISKANERKLOSTERS, Am Palais

1453 Das auf herzogliche Veranlassung errichtete Männerkloster des Franziskaner-Ordens war ursprünglich viel weiträumiger und lag zwischen Böttchergasse, Theaterplatz, Am Palais und Geleitstraße. Hier wohnte Luther. Hier und in der Stadtkirche las er die Messe und predigte auf seinen Reisen nach Augsburg (1518) und nach Worms (1521). Nach der Reformation in Weimar verließen die Mönche 1533 das Kloster, dessen Hauptgebäude und Kirche fortan als Kornhaus verwendet wurden. Seit 1872 dient der mittelalterliche Bau musischen Zwecken. Zunächst wirkte hier die neugegründete Musikschule, später die Staatliche Hochschule für Musik. Nach der Übersiedlung der Hochschule in das ehemalige Fürstenhaus am Platz der Republik zog das Konservatorium der Musik in den historischen Bau ein.

34 CRANACH-HAUS, Am Markt

1549 Für den kurfürstlichen Kanzler Dr. Christian Brück aus Wittenberg (1515–1567) und dessen Vater Gregor im Renaissancestil von dem ernestinischen Landesbaumeister Nicol Gromann aus Torgau (etwa 1500–1569) erbaut. Hier wohnten und malten Lucas Cranach der Ältere (1472–1553), der Schwiegersohn Brücks, und Lucas Cranach der Jüngere (1515–1586). Über dem rechten Schaufenster im Erdgeschoß ist das Wappen der Cranachs, eine gekrönte Schlange mit Flügeln und einem Ring im Maul, eingemeißelt. Die Decke eines Zimmers im ersten Stock trug bis vor wenigen Jahrzehnten noch Reste eines Gemäldes von der Hand des Meisters. Im dritten Stock lag das Atelier der Cranachs mit einem Nebenraum, dessen Decke offen war. Sie gestattete es dem jüngeren Cranach, die drei hohen Holztafeln, aus denen das große Weimarer Altargemälde besteht, im eigenen Hause zu bemalen. Das Haus wurde 1892 umgebaut und im Cranach-Jahr 1953 restauriert.

35 EHEMALIGES STADTHAUS, Am Markt

1526–1547 Das leider nicht mehr vorhandene Gebäude, das man mehrfach als schönsten Renaissancebau Weimars bezeichnet hat, mußte die Stadt auf Anweisung des Hofes als Rats- und Handelshaus errichten. Es erfuhr wiederholt Umbauten und diente verschiedenen Zwecken. Vom Feilbieten von Landeserzeugnissen über das Eintreiben von Steuern bis zur herrschaftlichen Gesellschaft sah das Stadthaus alle Arten von Veranstaltungen, die mangels geeigneter Räumlichkeiten nicht anderswo abgehalten werden konnten. 1927 wurde das Gebäude noch einmal durchgreifend restauriert. Im Februar 1945 sank es im Bombenhagel dahin. – Eine gemalte Marktfahne aus dem achtzehnten Jahrhundert, die heute im Rathaus hängt, zeigt uns das mittelalterliche Stadthaus vor dem von Herzog Carl August angeordneten Umbau von 1800. Im Hauptgeschoß des Stadthauses diente der große Saal nach vorübergehender Benutzung durch die Landstände als Verkaufshalle, zur Einnahme von Steuern und als Festsaal. Im Erdgeschoß war ein Verkaufsgewölbe, durch das ein breiter Gang führte, und im Keller eine Schenke.

36 ALTWEIMAR VOM TURM DER STADTKIRCHE

Im Vordergrund sehen wir das sogenannte Deutschritterhaus von 1566 mit Mostgasse, Vorwerksgasse und den Häusern am Burgplatz. Rechts schließt sich die Baugruppe am Schloßturm an, links das Rechteck des Schlosses. Die Baumkronen dahinter gehören zum Park am Stern, hinter dem nach Osten zu die Hänge des Lindenbergs aufsteigen.

37 ALTWEIMAR VOM SCHLOSSTURM

1729 hat der weimarische Landbaumeister Gottfried Heinrich Krohne den spätgotischen Aufsatz des Schloßturms durch eine kraftvoll geschwungene Barockhaube ersetzt. Aus der luftigen Höhe des Schloßturmes schweift der Blick auf das dichte Häusergewirr der Altstadt, aus deren Mitte die Stadtkirche, Herders Wirkungsstätte, herausragt. Es ist uraltes Siedlungsgebiet, denn die erste Kirche wird an dieser Stelle bereits 1257 erwähnt. Der heutige Bau entstand von 1498 bis 1500 als gotische Hallenkirche. Die von 1735 bis 1745 erfolgten Umbauten führten vor allem im Innern zu tiefgreifenden Veränderungen im Stil des Spätbarock, die die bisherige großartige Raumwirkung beeinträchtigen. Am 9. Februar 1945 wurde die Stadtkirche durch Bomben schwer beschädigt und am 14. Juni 1953 nach fünfjähriger Arbeit neu geweiht. Der hohe Giebel des Gebäudes rechts von der Stadtkirche gehört zum alten Gymnasium von 1717, in dem heute das Städtische Naturkunde-Museum untergebracht ist.

38 GROSSES ALTARGEMÄLDE IN DER STADTKIRCHE

1555 Gemalt von Lucas Cranach dem Jüngeren (1515–1586) in Weimar. Es stellt dar, wie die Angehörigen der Kirche von Höllenstrafen und ewigem Tod durch den Tod Christi und seine Auferstehung erlöst werden. Rechts von Christus am Kreuz in voller Gestalt der Täufer Johannes, Lucas Cranach der Ältere und Martin Luther. Die eindrucksvollste Gestalt ist Luther, dessen entschiedene Haltung auf die Unerschrockenheit und den erfolgreichen Kampf des Reformators hinweisen soll. Cranachs Haupt trifft der seligmachende Strahl aus der blutenden Brustwunde Christi.

39 LUCAS CRANACH DER ÄLTERE

Aus dem Altargemälde in der Stadtkirche.
1555 Gemalt von Lucas Cranach dem Jüngeren nach dem Selbstbildnis seines Vaters (1472–1553) aus dem Jahre 1550, das sich heute in den Uffizien zu Florenz befindet.
Lucas Cranach der Ältere war im Oktober 1553 auf dem Jakobsfriedhof, dicht an der Jakobskirche, bestattet worden. Den Oberbau seiner Grabstätte, 1764 mit einer Steinfassung versehen, ließ die Stadt Weimar mit anderen Grabmälern zwischen 1832 und 1859 beseitigen. Erhalten blieb das unterirdische, weiträumige Gruftgewölbe, in dem sich ein kleiner Predigtstuhl befindet. Cranach ruht unter dem jetzigen Gehweg südlich von der Kopie seines aufrechtstehenden Grabsteins, dessen Original 1859 in die Stadtkirche kam.

40 ROTES SCHLOSS, Kollegiengasse

1574–1576 Das Renaissanceschloß war zunächst Witwensitz der Herzogin Susanna Dorothea und von 1781 bis 1807 die erste Unterkunft des Freien Zeichnen-Instituts unter Georg Melchior Kraus. Die Ostseite wurde auf Goethes Veranlassung im Jahre 1808 durch Abbruch eines Flügels wesentlich verkleinert.

41 TORBAU AM SCHLOSSTURM, Burgplatz

15. und 16. Jahrh. Nicol Gromann baute in den Haupteingang zum Schloß, der nach dem großen Burgbrand von 1424 errichtet worden war, um 1545 ein schönes Renaissanceportal ein. Das Fundament des dahinter liegenden Schloßturms stammt noch aus dem Mittelalter, der barocke Turmaufbau aus dem Jahre 1729. Der Name „Bastille" wurde erst im vorigen Jahrhundert üblich.

42 JOHANN SEBASTIAN BACH (1685–1750)

Der große barocke Tonschöpfer und Instrumentalsolist war seit 1703 einige Zeit Hofgeiger in Weimar. Von 1708 bis 1717 wirkte er als Hoforganist und Kammermusiker in der herzoglich-weimarischen Kapelle. Dem Rang nach Bediensteter, hatte Bach zu Festtagen und Geburtstagen Kantaten und Orgelvorspiele zu komponieren. Er wohnte am Markt, wo sich später der 1945 zerstörte Teil des Parkhotels befand. Hier wurden 1710 Wilhelm Friedemann, 1714 Carl Philipp Emanuel und 1715 Johann Gottfried Bernhard geboren. Weil er sich vom Köthener Hof hatte abwerben lassen, warf ihn der Weimarer Herzog vier Wochen in den Kerker. Im Dezember 1717 verließ Bach mit seiner Familie Weimar und ging nach Köthen. Das abgebildete Porträt Bachs hat 1747 Gottlieb Haussmann gemalt.

43 BACHKONZERT IM WEISSEN SAAL DES SCHLOSSES, Burgplatz

Bachs Wirkungsstätte, die alte Schloßkapelle, befand sich im Ostflügel des 1774 abgebrannten Schlosses. Auf Anregung der heutigen Franz-Liszt-Hochschule für Musik wurde die neue Schloßkapelle, die 1840 in der südwestlichen Ecke des Schloßkomplexes errichtet worden war, 1949 in Bachsaal umbenannt. Hier finden regelmäßig Orgel- und Kammerkonzerte statt. Bei festlichen Anlässen dient auch der Weiße Saal des Schlosses der Darbietung Bachscher Musik.

44 PARK ETTERSBURG, beim Schloß Ettersburg

1845 Der Park ist eine Schöpfung des ideenreichen Parkgestalters Hermann Fürst von Pückler-Muskau (1785–1871), der auch die Anlagen von Muskau und Branitz geschaffen hat. Pückler war wiederholt in Weimar und hat entscheidenden Anteil an der neueren Gestaltung der Parks von Belvedere, Tiefurt und Kromsdorf.

45 SCHLOSS ETTERSBURG, nordwestlich von Weimar

1706–1736 Der Schloßkomplex Ettersburg wurde zwischen 1706 und 1736 in mehreren Etappen errichtet. Das rückwärtige, nüchtern-schmucklose alte Schloß entstand bis 1712 auf den Überresten eines alten Augustiner-Chorherrenstiftes und diente zunächst dem Herzog als Jagdschloß. Elf Jahre später wurde mit dem anspruchsvolleren Vorderbau begonnen, der 1736 nach verhältnismäßig langer Bauzeit fertiggestellt werden konnte. Erst jetzt gewann die Anlage den Charakter eines Lustschlosses, wozu vorzüglich seine Lage auf beherrschender Höhe inmitten des schönen Parkes beitrug.
Zur Goethezeit machten Schloß und Park Ettersburg durch dramatische Aufführungen von sich reden. Hier wurde Goethes erste Fassung der „Iphigenie", mit Goethe in der Rolle des Orest und Corona Schröter als Iphigenie, zum erstenmal aufgeführt; und so manche Singspiele und kleinere Dramen schuf Goethe eigens für die Liebhaberbühne von Ettersburg. Friedrich Schiller vollendete in der Stille des abgelegenen Schlosses 1800 sein Trauerspiel „Maria Stuart".

46 SCHLOSS BELVEDERE, südlich von Weimar

1724–1732 Belvedere entstand als herzogliches Lustschloß mit ausgedehntem Park und Nebengebäuden für Herzog Ernst August (1688–1748). Baumeister waren Johann Adolph Richter und Gottfried Heinrich Krohne. Während der klassischen Zeit war Belvedere einer der drei Sommersitze und Versammlungsorte des Hofes. Goethe vollendete hier 1789 den „Tasso". 1797 bis 1801 leitete der französische Emigrant Jean Joseph Mounier in Belvedere eine Erziehungsanstalt. Seit Juni 1959 als „Rokoko-Museum Schloß Belvedere" neu eingerichtet, werden hier Kleinkunst des Barock, chinesisches Porzellan, europäische Fayencen sowie Möbel und Entwürfe für Schloß und Park Belvedere gezeigt.

Als Baudenkmal ist Belvedere bedeutender als Ettersburg und Tiefurt, selbst als das Wittumspalais und die übrigen Schlösser innerhalb Weimars. Französischer Einfluß ist unverkennbar. Der viereckige, etwas massive Hauptbau stammt von Johann Adolph Richter aus der rühmlich bekannten Familie der im 17. und 18. Jahrhundert an thüringischen Höfen tätig gewesenen Baumeister und Maler. 1732 setzte der weimarische Baumeister Gottfried Heinrich Krohne neben je zwei zurücktretende Verbindungsteile die beiden runden Pavillons, die dem Ganzen erst die beschwingte, fast musikalische Form geben. Reizvoll ist ein Türmchen über der Attika mit Altan und eingebautem Sälchen. Der Speisesaal ist mit Laub- und Bandelwerk in Stuck ausgestaltet und durch korinthische, rot marmorierte Pilaster gegliedert.
Symmetrisch gruppieren sich um das Schloß zunächst vier kleinere Dienstgebäude, weiter ab die Wirtschaftsgebäude und die Orangerie, in der heute eine Sammlung historischer Wagen gezeigt wird.

47 PARK BEIM SCHLOSS BELVEDERE

18. Jahrh. Der Park wurde nach Plänen des Schloßbauers Johann Adolph Richter im französischen Gartenstil angelegt. In der nachklassischen Zeit veränderten Johann Christian Sckell (1773–1857) und dessen Sohn den größten Teil der Anlage in einen großen, englischem Vorbild nachgeahmten Naturgarten, der nach Süden in ein hügeliges Waldgebiet übergeht.

48 ORANGERIE IM PARK VON BELVEDERE

18. Jahrh. Zur Aufnahme und Zucht seltener Pflanzen von Ernst August angelegt und von den Umgestaltungen des Parks im 19. Jahrhundert nicht berührt. In den Gewächshäusern und umliegenden Gärten wuchsen 1812 außer Orangenbäumen und Ananasstauden etwa 38000 verschiedene Pflanzen. 1826 betrug der Gesamtbestand 60000. Goethe nahm großen Anteil an der Entwicklung der Pflanzungen von Belvedere, die während der klassischen Zeit zu den reichhaltigsten und seltensten in Deutschland zählten.

49 UHRENHAUS BEIM SCHLOSS BELVEDERE

18. Jahrh. Einer der Schöpfer von Belvedere, Baumeister Johann Adolph Richter, hat eine kolorierte Radierung „Prospect von Belvedere" hinterlassen, auf der die ursprüngliche, streng geometrisch gegliederte Gesamtanlage von Belvedere gut zu erkennen ist. Das auf unserem Bild gezeigte Uhrenhaus begrenzte danach den zweiten von drei ummauerten Sperrbezirken nach Osten. Gegenüber lag das westliche Uhrenhaus. Stadtwärts versperrten zwei heute verschwundene Wachthäuser den Zugang zum Schloß, den auf der gegenüberliegenden Seite noch einmal eine Balustrade vor dem Zutritt Unberufener schützte. So schloß sich der absolutistische Bauherr nicht nur von seinen Untertanen ab, sondern auch vom Hofadel, der außerhalb des eigentlichen Schloßbezirkes in den Uhrenhäusern wohnte.
Heute dienen die Uhrenhäuser von Belvedere der Franz-Liszt-Hochschule für Musik.

50 THÜRINGISCHE LANDESBIBLIOTHEK MIT BIBLIOTHEKSTURM, Platz der Demokratie

1562–1568 Mit französischen Hilfsgeldern im Renaissancestil erbaut. Ursprünglich stand nur der mittlere Teil, dessen Fassade durch Arkaden, Giebel und reiche Bemalung geschmückt war. Im Süden bildete ein schlankes Türmchen den Treppenaufgang. Davor lag, den heutigen Platz der Demokratie bedeckend, ein Ziergarten im französischen Gartenstil. Anna Amalia ließ das Schlößchen von 1760 bis 1765 zu einer Bibliothek umbauen. Dabei erhielt das Innere den ovalen Rokokosaal mit zwei um den Saal laufenden Galerien.
Nach einem Entwurf des maßgeblich am Schloßbau beteiligten Berliner Baumeisters Heinrich Gentz wurde 1803 bis 1805 durch einen unaufdringlichen Anbau nach Süden die Verbindung zum alten Turm der Stadtbefestigung hergestellt. 1849 kam der nördliche Teil in stilistischer Anlehnung an den bereits bestehenden Hauptbau hinzu.
Die Landesbibliothek besitzt wertvolle Inkunabeln, Lutherdrucke, Handschriften, Karten und eine beachtliche Bildnissammlung. Mit einem Buchbestand von über 600000 Bänden zählt sie zu den ansehnlichsten wissenschaftlichen Bibliotheken Deutschlands. Künstlerisch bedeutende Gemälde und Büsten von Goethe, Schiller, Herder, Wieland und anderen Persönlichkeiten der klassischen Zeit geben ihr zudem ein eigenes Gepräge. Goethe leitete die Bibliothek von 1797 bis 1832.

51 WENDELTREPPE IM BIBLIOTHEKSTURM

16. Jahrh. Umbauten im 18. und 19. Jahrhundert. Der Bibliotheksturm war ursprünglich einer der zehn Türme der Stadtbefestigung, die hier an ihrer südlichen Ecke das Ilmtal erreichte. 1823 wurde er mit der danebenliegenden Bibliothek verbunden und mit Bücherregalen ausgestattet. Die etwa zwölf Meter hohe Wendeltreppe stammt aus der Osterburg in Weida.

52 CAUNUS UND BYBLIS

1782 Die reizvolle Doppelplastik von Martin Gottlieb Klauer (1742–1801) wurde 1782 im Rokokosaal der Landesbibliothek aufgestellt, die gleichzeitig als herzogliche Kunstkammer diente.

53 ROKOKOSAAL DER LANDESBIBLIOTHEK

1760–1765

54 KLEINE KIRCHGASSE MIT JAKOBSKIRCHE UND JAKOBSKIRCHHOF

Ein Stück Altweimar ist mit dem kurzen Gäßchen auf uns gekommen, das den Jakobskirchhof mit dem Graben verbindet. Während der klassischen Zeit führte es die Bezeichnung „Kleine Totengasse", weil hier die Leichenzüge zum nahen Jakobskirchhof hindurchgingen. Kirche und Friedhof liegen inmitten des ältesten Stadtteils von Weimar, der Jakobsvorstadt. Das baufällig gewordene Gotteshaus von 1168 war 1712 abgerissen worden. Beim Neubau der heutigen Jakobskirche durch den Weimarer Johannes Mützel (dem Architekten von Goethes späterem Wohnhaus am Frauenplan) geriet ein beschrifteter Stein des mittelalterlichen Kirchleins in die Außenmauer. 1767 und 1774 folgten architektonische Verschönerungen des allzu dürftigen Baues, der nach dem Schloßbrand zur Hofkirche erhoben worden war. In der Sakristei ließ sich am 19. Oktober 1806 Goethe mit Christiane Vulpius trauen.

Weimar am Vorabend der klassischen Zeit

57 GOETHES GARTENHAUS IM PARK AN DER ILM

16. oder 17. Jahrh. Goethe erwarb das Häuschen für 600 Gulden, einem Geschenk Carl Augusts, am 21. April 1776 aus einer Versteigerung. Von kurzen Unterbrechungen abgesehen, wohnte er dort sechs Jahre, nachdem Haus und Garten von Grund auf erneuert worden waren. Später diente Goethe das Gartenhaus wiederholt als Zufluchtsort. Vor seinem Tode veranlaßte er, daß es noch einmal hergerichtet wurde. Seine Schwiegertochter Ottilie ließ das Anwesen später sehr herunterkommen. Seit 1886 als Gedenkstätte öffentlich zugänglich, wurde Goethes Gartenhaus nach und nach wieder eingerichtet, wobei der ursprüngliche Zustand mangels getreuer Überlieferungen nicht mehr erreicht werden konnte. Zum Schillerjahr 1955 erfuhr das Gartenhaus eine durchgreifende Erneuerung.

58 ARBEITSZIMMER IN GOETHES GARTENHAUS

Das Arbeits- oder Altanzimmer des Häuschens, in dem das Gedicht „An den Mond", wesentliche Teile der Erstfassungen der „Iphigenie", des „Egmont" und des „Wilhelm Meister" entstanden, ist der Überlieferung nach mit dem eisernen Pyramidenofen des Kupferschmieds Pflug aus Jena, dem Schreibpult und der Karte des Ilmenauer Bergwerkbezirks heute wieder eingerichtet wie früher. Von hier führte eine Tür zu dem 1777 angebauten und später wieder entfernten Altan, auf dem Goethe in den Sommernächten zu schlafen pflegte.

59 DER JUNGE GOETHE

1775–1776 Gezeichnet von Goethes Frankfurter Landsmann Georg Melchior Kraus (1733–1806) während des Dichters erstem Aufenthalt in Weimar.

60 DENKMAL DES GUTEN GLÜCKS IN GOETHES GARTEN AN DER ILM

1777 Während der Umgestaltung des Gartens im englischen Gartenstil ließ Goethe dort 1777 einen Würfel aufstellen, der eine Kugel trägt. Das schlichte Steinmal widmete er dem Genius des Glücks. 1782 folgte der Denkstein für Charlotte von Stein, den er an der Rückseite jenes Gartenplätzchens anbringen ließ, wo die Freundin gern geweilt hatte.

61 NATURBRÜCKE ÜBER DIE ILM IM PARK VON WEIMAR

18. Jahrh. Als Goethe noch ständig im Gartenhaus wohnte, führte dort, wo sich heute die Naturbrücke befindet, ein einfacher Steg, die Floßbrücke, über die Ilm in den Stern, wie man den fürstlichen Lustgarten nannte. Der Stern bedeckte in Form eines Dreiecks die Fläche zwischen Schloßbrücke, Goethes Garten und der Floßbrücke. Im Osten und im Süden umgab den Stern ein heute verschwundener Graben, der bei Goethes Garten zum Schloß abbog. An dieser Stelle führte ein zweiter Steg in den Stern, der, wie die Floßbrücke, verschlossen werden konnte.

62 ALTE EINFAHRT ZUM WITTUMSPALAIS, Am Palais

1767 Die Hofeinfahrt war der eigentliche Eingang zum Palais. In der klassischen Zeit spielte sich zwischen den beiden Torpfeilern mit ihren anmutigen Rokokovasen und auf dem unebenen Hof, einst Friedhof der Mönche, die Begrüßung der Ankommenden ab. Der Eingang am Theaterplatz, wo sich damals der Garten der Herzogin Anna Amalia befand, ist aus neuerer Zeit. Rechts die Überreste des Franziskanerklosters, in der Mitte und links die der ehemaligen Schönfärberei, die beim Bau des Palais mit verwendet wurden.

63 WITTUMSPALAIS von der Schillerstraße

1767 Auf dem Gelände des einstigen Franziskanerklosters hatte sich Goethes späterer Amtskollege Jakob Friedrich von Fritsch unter Einbeziehung älterer Bauten (s. Anmerkung zu Bild 32) ein Palais errichten lassen, zu dem ausgedehnte Gärten gehörten. Nach dem Schloßbrand von 1774 erwarb Anna Amalia (1739 bis 1807) das Anwesen, das ihr 33 Jahre als Wohnung diente. Während der Goethezeit war das Wittumspalais geselliger Mittelpunkt der besten Köpfe Weimars, die sich im Tafelrundezimmer trafen. Im Februar 1945 wurde der gesamte Bau schwer beschädigt, zum Goethejahr 1949 vollständig restauriert und zum Schillerjahr 1959 museal neu gestaltet.

64 FESTSAAL IM WITTUMSPALAIS

1767 Der über zwei Stockwerke verteilte Saal diente festlichen Zusammenkünften, Konzerten und Liebhaberaufführungen. Ursprünglich waren hier zwei Zimmer. Durch Herausnehmen der Trennwand schuf man einen zusammenhängenden Raum, dessen hintere Hälfte durch Wegnahme der Decke bedeutend an Höhe gewann. Die Deckenbemalung ist von Goethes Leipziger Lehrer Adam Friedrich Oeser.

65 TAFELRUNDEZIMMER IM WITTUMSPALAIS

18. Jahrh. Im Hauptgeschoß, nach der Schillerstraße und dem Theaterplatz zu, liegt der als Tafelrundezimmer in die Geschichte des klassischen Weimar eingegangene große Eckraum. Bereits vor Goethes Eintreffen versammelten sich hier bei Anna Amalia jugendlich aufgeschlossene Freunde sinnvoller Geselligkeit aus Adel und Bürgertum. Das bekannte Aquarell einer Abendgesellschaft im Wittumspalais von Georg Melchior Kraus entstand gegen 1795, als sich um Goethe eine neuer geselliger Kreis gebildet hatte.

66 CHRISTOPH MARTIN WIELAND IM KREISE SEINER FAMILIE

1774 Gemalt von Georg Melchior Kraus. Wieland (1733–1813) hatte seit 1769 eine Professur für Philosophie an der Universität Erfurt inne. Anna Amalia berief ihn 1772 als Prinzenerzieher nach Weimar. Das Ölgemälde von Georg Melchior Kraus gibt trefflich die Atmosphäre im Hause Wieland wieder, über die er sich in einem Briefe vom September 1782 äußert: „Ich lebe, in einer erwünschten Freiheit von öffentlichen Geschäften, den Musen, ... umgeben von einer zahlreichen, um mich her teils aufblühenden, teils noch aufkeimenden

Familie, die meine Existenz auf die interessanteste Weise vervielfältigt und durch die süßen Sorgen und angenehmen Pflichten des Hausvaters mein sonst sehr einförmiges Leben vor Stockung bewahrt."
Der kolorierte Stich von V. H. Schnorr (1809) stellt die Begegnung Wielands mit Napoleon im Jahre 1808 dar. Napoleon ließ Wieland am 6. Oktober 1808 ins Weimarer Schloß holen, wo im Weißen Saal ein Festball zu Ehren der beiden Kaiser Napoleon und Alexander stattfand. Die angeregte Unterhaltung zwischen Napoleon und Wieland hat Kanzler Friedrich von Müller in seinen „Erinnerungen aus den Kriegszeiten von 1806 bis 1813" festgehalten.

67 WIELANDS GRAB IM PARK VON OSSMANNSTEDT, östlich von Weimar

1813 Wieland lebte von 1797 bis 1803 auf seinem Gut Oßmannstedt, in dessen Garten er neben seiner Frau und Sophie Brentano, der Enkelin seiner Jugendfreundin Sophie von Laroche, ruht. Hier in Oßmannstedt besuchte Wieland im Jahre 1803 der junge Heinrich von Kleist. Das Gutshaus ist heute Schule. Zwei Zimmer sind 1956 als Wieland-Gedenkstätte eingerichtet und der Öffentlichkeit übergeben worden.

68 JOHANN GOTTFRIED HERDER

1850 Als erstes Denkmal für die Großen der klassischen Zeit wurde am 25. August 1850 das Herder-Standbild von L. Schaller vor der Stadtkirche enthüllt. Herder (1744–1803) war auf Goethes Veranlassung 1776 nach Weimar berufen worden, wo er bis zu seinem Tode am 18. Dezember 1803 lebte und wirkte.

69 DIE HERDERKANZEL IN DER STADTKIRCHE

70 GARTEN HINTER DER EHEMALIGEN AMTSWOHNUNG HERDERS

Der Garten war Herders liebster Aufenthalt, nachdem er sich vom gesellschaftlichen Leben in Weimar, das einseitig durch Hof und Adel bestimmt war, zurückgezogen hatte. Die Amtswohnung, in die Herder am 2. Oktober 1776 eingezogen war, stammt aus dem 16. Jahrhundert und gehörte ursprünglich mit den Nachbarhäusern, in denen Pfarrherren und Gymnasiallehrer wohnten, dem Deutschritterorden. Heute ist das Herderhaus Dienstwohnung des Weimarer Superintendenten.

71 HERDERS GRAB

1811 Johann Gottfried Herder starb in seiner Amtswohnung am 18. Dezember 1803. Über seiner Grabstätte im Quergang des westlichen Schiffes der Stadtkirche wurde 1811 eine eiserne Grabtafel angebracht, deren Buchstaben und Zierornamente ursprünglich vergoldet waren. Die Tafel trägt oben den ersten Buchstaben (A = Alpha) und den letzten Buchstaben (O = Omega) des griechischen Alphabets: das A und O = der Anfang und das Ende.

72 GOETHES WOHNUNG IN DER SEIFENGASSE

18. Jahrh. Goethes dritte Stadtwohnung befand sich von 1779 bis 1781 unmittelbar neben dem Haus Charlotte von Steins.

73 HAUS DER CHARLOTTE VON STEIN, Ackerwand 25

17. Jahrh. Das Stiedenvorwerk, eine ehemalige Ökonomiewirtschaft, wurde für die Familie des Oberstallmeisters von Stein 1777 unter Goethes Mitwirkung als Wohnung hergerichtet. Charlotte von Stein (1742–1827) bewohnte es bis zu ihrem Tode. Zur klassischen Zeit lag zwischen dem Steinschen Haus und dem Fürstenhaus ein langgestreckter Garten, der sich etwa vom Frauentor bis zur Stadtmauer hinzog.

74 SCHLANGENSTEIN IM PARK

1787 Nach antikem Vorbild schuf Martin Gottlieb Klauer (1742–1801) im Auftrag Carl Augusts einen Schlangenaltar, der während Goethes Abwesenheit im Mai 1787 am stadtseitigen Hang des Ilmtales gegenüber Goethes Garten aufgestellt wurde. Möglicherweise dachte der Herzog an seinen ersten Mitarbeiter bei der Parkschöpfung, der gerade in Italien weilte.

Die Schlange war im Altertum ein beliebtes Haustier. Gern auf Siegesdenkmälern verwendet, versinnbildlichte sie nach damaliger Auffassung den guten Geist einer Örtlichkeit. –
Während des Wachsens der englischen Anlagen im Bereich der Kalten Küche, wie ein Steilhang am linken Ilmufer im Volksmund hieß, kam Goethes Epigramm „Einsamkeit", in Stein gehauen, 1782 an einen Felsen im Südteil der Kalten Küche. Damals entstand auch die zweitorige Höhle, die nicht weit von dieser beschaulichen Stätte an die tiefe Liebe zur freien Natur erinnert, von der Goethes Verse zeugen.

75 BORKENHÄUSCHEN ODER LUISENKLOSTER IM PARK

1778 Auf Anregung Goethes und unter seiner Leitung entstand in unmittelbarer Nähe von Felsentreppe und Floßbrücke eine Einsiedelei. Anlaß dazu war der Namenstag der Herzogin Luise am 9. Juli 1778, deren Namen das nicht für lange Dauer berechnete Häuschen zuerst trug. Das an diesem Tage gefeierte, von Goethe noch 1830 beschriebene Luisenfest leitete die Gestaltung des Weimarer Parks der klassischen Zeit ein. Herzog Carl August fand Gefallen an Goethes Parkplänen. Er ließ das Luisenkloster ausbauen und wohnte eine Zeitlang darin. 1784 und 1791 folgten weitere Umbauten. Im Goethejahr 1949 wurde das Borkenhäuschen instandgesetzt und nach 1959 von Grund auf neu erbaut.

76 SCHLOSS TIEFURT, nordöstlich von Weimar

17. Jahrh. Ursprünglich nur ein Gutshaus, war Schloß Tiefurt von 1781 bis 1807 neben Ettersburg und Belvedere einer der drei Sommersitze der Herzoginmutter Anna Amalia. Seine geschichtliche Bedeutung hat es als Treffpunkt des Tiefurter Kreises um Goethe, Wieland, Herder, Knebel, Einsiedel und Anna Amalia erlangt. Heute ist das anspruchlose Schlößchen mit seinen bescheidenen Zimmern und dem stimmungsvollen Park eine der wichtigsten Gedenkstätten der Goethezeit, weil hier die für das klassische Weimar typische Verbindung von Dichtung, Natur und Wohnkultur deutlich wird. –
Hier hat Luise von Göchhausen (1752–1807), Anna Amalias scharfzüngige Hofdame des weimarischen Musenhofes, in den 70er Jahren des 18. Jahrhunderts wahrscheinlich Goethes „Urfaust" abgeschrieben. Der Berliner Literaturhistoriker Erich Schmidt entdeckte das Manuskript am 5. Januar 1887 in Dresden und veröffentlichte es unter dem Titel „Goethes Faust in ursprünglicher Gestalt". Die Frage, ob der Dichter dem Hoffräulein wohl nur jene Teile seiner ersten „Faust"-Fassung überließ, die er anfangs in Weimar vorzutragen pflegte, ist offen geblieben.

77 GESELLSCHAFTSZIMMER IM SCHLOSS TIEFURT

18. Jahrh. Wie im Tafelrundezimmer des Wittumspalais versammelte sich während der Sommermonate im Tiefurter Gesellschaftszimmer der Herzogin und in den anliegenden Räumen ein Kreis diskussionsfreudiger Menschen zu Gesprächen über Dichtung, bildende Kunst und Musik, die oft recht stürmisch verliefen. Am häufigsten weilte der alternde Wieland nach dem Tode seiner Gattin hier, wo er sich nach Goethes Worten „als Glied des Hauses und Hofes" betrachtete.

78 AUS DER TIEFURTER URAUFFÜHRUNG DER „FISCHERIN"

1782 Nördlich des Musentempels fand am 22. Juli 1782 die Uraufführung von Goethes Singspiel „Die Fischerin" mit Corona Schröter als Dortchen statt. Georg Melchior Kraus hielt das Ereignis in einem Aquarell fest, das heute im Schloß Tiefurt ausgestellt ist.

79 MUSENTEMPEL IM PARK VON TIEFURT

1803 Ohne Park oder Garten ist keine klassische Stätte in Weimar denkbar. Adel und Bürgertum strebten, sobald es die Witterung erlaubte, hinaus in die freie Natur, wo sich ein Großteil des geselligen Lebens abspielte. Dabei bevorzugte man eine Staffage, wie sie für den Tiefurter Park typisch ist und über die sich Goethe im „Triumph der Empfindsamkeit" lustig machte. Von den vielen steinernen Erinnerungen an die große Zeit von Tiefurt hat sich der offene, sechssäulige Tempel mit dem von Martin Gottlieb Klauer geschaffenen Standbild der Polyhymnia, der Muse des ernsten Gesanges, seinen Zauber inmitten des idyllischen Tiefurter Parkes bewahrt.

80 STERNBRÜCKE ÜBER DIE ILM

1651–1653 Das 1774 ausgebrannte Stadtschloß hatte zwei Eingänge: im Süden durch den Torbau am Schloßturm (Bild 11), im Osten durch das Lindentor. Dorthin führte die von Johann Moritz Richter erbaute Schloßbrücke, die hinter dem Lindentor in eine weitere Brücke über den Burggraben einmündete. Nach dem nahegelegenen fürstlichen Park, dem Stern, erhielt die Schloßbrücke später den Namen Sternbrücke. – Nach einem Entwurf von Georg Melchior Kraus schuf der weimarische Bildhauer Martin Gottlieb Klauer (1742–1801) eine ägyptische Sphinx, die 1786 in eine künstliche Grotte an der Leutra gestellt wurde.

Die große Zeit des klassischen Humanismus – Schiller in Weimar

83 SCHILLERS WOHNHAUS, Schillerstraße

1777 Das Haus, in dem Friedrich Schiller (1759–1805) seine drei letzten Lebensjahre verbrachte, hatte sich ursprünglich der Kaufmann Johann Christoph Schmidt als Rückgebäude der alten Münze (das 1959 abgerissene Gasthaus „Zum Anker") erbauen lassen. Es lag unmittelbar an der Innenseite der Stadtmauer an der mit Bäumen bepflanzten Esplanade. Schiller erwarb das Haus am 29. April 1802 für 4200 Reichstaler.

84 FRIEDRICH SCHILLER

1786 Kopie nach dem Ölbildnis des Dichters von Anton Graff (1736–1813) im Schillerhaus Weimar.

85 SCHREIBTISCH IN SCHILLERS ARBEITSZIMMER

86 GESELLSCHAFTSZIMMER

19. Jahrh. Schiller hatte sich die Mansardenzimmer so einrichten lassen, daß er ungestört arbeiten und Besuche empfangen konnte. Das Gesellschaftszimmer lag vor dem Arbeitszimmer. Charlotte von Schiller wohnte mit den Kindern im ersten Stock.

87 SCHILLERS ARBEITSZIMMER

19. Jahrh. Hier starb Schiller am Nachmittag des 9. Mai 1805. Die Einrichtung, durch glaubhafte Nachweise bezeugt, ist erst später wieder zusammengetragen oder ergänzt worden. In diesem Zimmer schuf der Dichter „Die Braut von Messina", „Wilhelm Tell" und das Fragment des „Demetrius".

88 KASSENGEWÖLBE, Jakobsfriedhof

1715 Die gemauerte Gruft mit der kleinen barocken Halle an der südöstlichen Mauerecke des Jakobskirchhofs war ursprünglich eine private Grabstätte. 1742 kam sie unter öffentliche Verwaltung (herzogliche Landschaftskasse). Dort fanden Tote ihre letzte Ruhe, die Anspruch auf bevorzugte Beisetzung hatten, jedoch nicht die Mittel für ein standesgemäßes Erbbegräbnis aufbringen konnten. In der Nacht zum 12. Mai 1805 wurde Schillers Leiche hierher überführt. Am 17. September 1826 kamen seine Gebeine auf Betreiben von Bürgermeister Schwabe vorübergehend in die Landesbibliothek. 1827 fanden sie ihre endgültige Ruhe in der Fürstengruft. 1854 wurde das Kassengewölbe zugeschüttet, der Oberbau abgetragen. 1927 entstand der heutige Bau nach alten Plänen neu. 1955 erfolgte eine durchgehende Erneuerung.

89 MARMORBÜSTE FRIEDRICH SCHILLERS

1796–1805 Johann Heinrich Dannecker (1758–1841) schuf 1794 bei Schillers Aufenthalt in der württembergischen Heimat zuerst eine Gipsbüste, die im Schillerhaus Weimar steht. Ein weiteres punktiertes Stück befindet sich in Marbach. Eine dritte Büste in Marmor, an der Dannecker von 1796 bis 1805 arbeitete, kam nach Weimar in die Landesbibliothek. Zwischen 1805 und 1826 fertigte der Künstler nach der ursprünglichen Fassung weitere Stücke an.

90 NATIONALE SCHILLER-EHRUNG 1959 IM DEUTSCHEN NATIONALTHEATER

Anläßlich der Wiederkehr des 200. Geburtstages von Friedrich Schiller fanden im November 1959 würdige Feiern statt. Einen Höhepunkt bildete der große Festakt am 10. November 1959 im Deutschen Nationaltheater. Der Präsident des Schiller-Komitees der Deutschen Demokratischen Republik, Alexander Abusch, hielt die Festansprache.

91 FESTLICHER ABSCHLUSS DER SCHILLER-EHRUNG 1959 VOR DEM DEUTSCHEN NATIONALTHEATER

92 VERFILMUNG VON SCHILLERS „KABALE UND LIEBE" IN WEIMAR

Im Sommer des Schillerjahres 1959 drehte die DEFA in Weimar Schillers Trauerspiel „Kabale und Liebe" als abendfüllenden Spielfilm. Historische Gebäude, wie das Rote Schloß und das Haus der Frau von Stein, dienten als architektonischer Rahmen. Unser Szenenfoto zeigt ein Geschehnis aus dem berühmten Bericht des alten Kammerdieners an Lady Milford: „Es traten wohl so etliche vorlaute Bursch' vor die Front heraus, und fragten den Obersten, wie teuer der Fürst das Joch Menschen verkaufe? – Aber unser gnädigster Landesherr ließ alle Regimenter auf dem Paradeplatz aufmarschieren und die Maulaffen niederschießen."
Regisseur Martin Hellberg hat, die spezifischen Mittel des Films nutzend, die Erzählung des Kammerdieners aus Schillers Bühnenwerk ausspielen lassen und als Ort der Handlung den Platz vor dem Roten Schloß in Weimar gewählt.

Die große Zeit des klassischen Humanismus – Goethe in Weimar

95 GARTENSEITE VON GOETHES WOHNHAUS, Am Frauenplan

1710 Die Gesellschafts- und Familienzimmer des stattlichen Hauptgebäudes am Frauenplan dienten dem Hausherrn zur Repräsentation und zur Aufnahme seiner umfangreichen Sammlungen. Der Garten an der Ackerwand, von dem aus eine Pforte in den Park führte, und die bescheidenen Zimmer des Hinterhauses waren der eigentliche, in sich abgeschlossene Bezirk des Dichters und Forschers Goethe. Hier hatte auch Christiane ihre Räume, von denen aus sie ihren kleinen Küchengarten pflegte, der sich an Goethes botanische Pflanzungen anschloß. Der Dichter hatte sich diesen Teil seines Anwesens im Jahre 1794 nach eigenen Wünschen gestaltet. 1802 erfolgten weitere Veränderungen.

96 GOETHES WOHNHAUS (GOETHE-NATIONALMUSEUM), Am Frauenplan

1709 Das Gebäude war ursprünglich von Johannes Mützel für den Tuchscherermeister und Strumpfhändler Georg Caspar Helmershausen erbaut worden. Goethe wohnte hier von 1782 bis 1789 zur Miete und von 1792 bis zu seinem Tode als Eigentümer. Die Kaufsumme stellte 1794 Carl August zur Verfügung. Das Innere ließ Goethe umbauen, wobei er sich die Gartenzimmer als Arbeits- und Schlafzimmer einrichten ließ. Vorn im ersten Stock lagen die Gesellschaftszimmer. In den Mansardenräumen wohnten nach Goethes Tod mit Unterbrechungen Ottilie, Wolfgang und Walther von Goethe. Die Öffentlichkeit hatte erst Zutritt, nachdem Walther 1885 gestorben war und das Haus mit der gesamten Einrichtung dem Staat geschenkt hatte. Um Goethes Wohnhaus vor Brandgefahr zu sichern, wurden 1890 die östlichen Nachbarhäuser abgerissen. An ihre Stelle trat eine Gartenterrasse. 1913 erfolgte der Aufbau eines eigenen Museumsgebäudes, das 1935 erweitert wurde. Am 9. Februar 1945 zerstörten Bomben den Südflügel. Die Wiedereröffnung erfolgte am 9. Juni 1949. 1959 begannen die Nationalen Forschungs- und Gedenkstätten mit der Umgestaltung der Ausstellungsräume, die den wissenschaftlichen Erfordernissen unserer Zeit nicht mehr entsprachen. Das eigentliche Goethe-Museum wird seit dem 27. August 1960 in neuer Gestalt geboten (s. Bild 112).
Die sich südlich an das Goethehaus anschließenden drei spätmittelalterlichen Wohngebäude wurden 1958 von den Nationalen Forschungs- und Gedenkstätten erworben, restauriert und mit Arbeitsräumen versehen. – Die Tür zum Vorderhaus am Frauenplan erhielt ihr endgültiges Aussehen im Zuge der Umbauten, die Goethe seit 1792 am Hause vornehmen ließ. Bei dieser Gelegenheit wurde auch der schöne Türgriff, die Arbeit eines weimarischen Handwerksmeisters, dort angebracht.

97 KLEINE NACHTMUSIK IN GOETHES GARTEN AM 28. AUGUST 1959

Seit einigen Jahren hat sich in Weimar ein schöner Brauch eingebürgert: An den Vorabenden und Abenden von Goethes Geburtstag kommen alljährlich Freunde des Dichters in Goethes Garten zu festlichen Serenaden zusammen, die von den Nationalen Forschungs- und Gedenkstätten der klassischen deutschen Literatur in Weimar veranstaltet werden und sich eines regen Zuspruchs erfreuen.

98 EINGANG ZU GOETHES WOHNHAUS

1792 Die Inschrift über der Tür lautet übersetzt: „Gott zum Ruhm und der Stadt zum Schmuck ist dies Haus im Jahre 1709 erbaut worden. Sein Gründer ist Georg Caspar Helmershausen, Kammerkommissar des durchlauchtigsten Sachsen-Weimarischen Herzogs. Der allgütige und große Gott schütze das Haus."

99 IN GOETHES WOHNHAUS

1792 Wenn der Besucher über die breite Treppe in das Obergeschoß gelangt war, empfing ihn das freundliche „Salve" („Sei gegrüßt") vor der Türe zum Gelben Saal, in dem Goethe mit seinen Gästen zu speisen pflegte. Von den Kunstwerken in diesem Raum zeigt unser Bild den Gipsabguß des Zeus von Otricoli aus den Museen des Vatikans und über der Tür zum kleinen Eßzimmer einen kolorierten Stich aus dem Jahre 1693. Er ist von Nicolas Dorigny und stellt das häufig behandelte Thema Amor und Psyche dar.
Vom kleinen Eßzimmer des Goethehauses, in dem sich heute zahlreiche Skulpturen, Ölbilder, Graphiken und ein Schrank mit Handzeichnnugen alter Meister befinden, sind auf unserer Abbildung nur die Jagemannsche Kreidezeichnung des Philologen Friedrich August Wolf und ein Ölbild von Carl Gustav Carus, das Brockenhaus darstellend, zu sehen.

100 URBINOZIMMER

1792–1794 Der Raum neben dem Gesellschaftszimmer trägt seinen Namen nach dem großen Ölgemälde des Italieners Federigo Baroccio (1528–1612), das Francesco Maria II. della Rovere, Herzog von Urbino (1548–1631), darstellt. Das Bild ist um 1590 gemalt; Goethe kaufte es 1790 von seinem Freund Friedrich Bury.

101 JUNOZIMMER

1792–1794 Das Gesellschaftszimmer des Hauses wird gewöhnlich nach dem Abguß des Kopfes der Juno Ludovisi benannt, einer griechischen Skulptur aus dem 4. Jahrhundert v. u. Z. im Nationalmuseum Rom. Die Kopie des ebenfalls antiken Gemäldes „Die Aldobrandinische Hochzeit" wurde von Heinrich Meyer nach dem Original im Vatikan gemalt. Die kleine Skulptur auf dem runden Tisch stellt eine antike Siegesgöttin dar. –
Zwischen 1816 und 1829 erwarb Goethe, hauptsächlich von einem Nürnberger Privatmann, über hundert Teller, Schüsseln und Gefäße aus italienischer Keramik. Sie waren im 16. Jahrhundert in den Majolika-Fabriken von Urbino, Faenza, Casteldurante, Venedig, Pesaro und anderen als Volkskunst hergestellt worden und zeigen vorwiegend Szenen mythologischen und christlichen Inhalts. Als Vorlagen hatten zeitgenössische Kupferstiche gedient; die ornamentale Umrandung läßt den spanisch-maurischen Ursprung der Majolika-Industrie erkennen, deren Erzeugnisse im frühen Mittelalter über die spanische Insel Mallorca (daher die italienische Bezeichnung Majolika) zuerst nach Italien kamen.

102 GOETHES ARBEITSZIMMER

1792–1794 Die Einrichtung von Goethes Privaträumen an der Gartenseite, Schlafzimmer, Arbeitszimmer und Bibliothek, blieb nach dem Tode des Dichters bis zum zweiten Weltkrieg nahezu unverändert. Dann mußten die Stücke in einem Salzbergwerk sichergestellt werden. Am 9. Februar 1945 durchschlugen Bomben die Decke des Arbeitszimmers. Nach umfangreichen Instandsetzungsarbeiten erfolgte am 9. Juni 1949 die Wiedereröffnung.

103 GOETHE IN SEINEM ARBEITSZIMMER, DEM SCHREIBER JOHN DIKTIEREND

1831 Ölbild von Johann Joseph Schmeller (1794–1841), einem Lehrer an der Weimarer Zeichnenschule. Das Bildnis entstand im Winter 1829/1830 in Lebensgröße als Kreidezeichnung. Unter Verwendung der

Statuette von Christian Daniel Rauch schuf Schmeller dann nach seiner Kreidezeichnung im Jahre 1831 ein kleines, farbenfrohes Ölgemälde, das den Dichter während der täglichen Arbeit zeigt.

104 GOETHES BIBLIOTHEK

1792–1794 Goethes Bibliothek ist im Auftrag der Nationalen Forschungs- und Gedenkstätten aufgenommen und 1958 in Buchform veröffentlicht worden. Sie umfaßt 5424 Nummern, darunter Teile der Bücherei von Goethes Vater aus dem Frankfurter Geburtshause des Dichters.

105 GOETHES SCHREIBTISCH

106 CHRISTIANE VULPIUS UND AUGUST VON GOETHE

1793 Gemalt von Johann Heinrich Meyer (1760–1832). Meyer aus Stäfa bei Zürich, seit 1790 Goethes „Hausgenosse, Künstler, Kunstfreund und Mitarbeiter", wohnte bis 1802 im Hause des Dichters am Frauenplan. Er wurde von Goethe hoch geschätzt. Am Freien Zeichnen-Institut wirkte er zuerst als Lehrer, seit 1807 als Direktor. Ihm verdanken wir das lebendigste Porträt von Goethes Gattin Christiane (1765–1816), eine aquarellierte Zeichnung aus dem Jahre 1793, die sie mit dem vierjährigen August von Goethe (1789–1830) darstellt.
Goethes Lebensgefährtin war die Tochter des Amtsarchivars Vulpius. Als Goethe 1788 Christiane beim Überreichen einer Bittschrift im Weimarer Park kennenlernte, war sie bereits seit längerer Zeit als Arbeiterin in Bertuchs Industrie-Comptoir mit der Herstellung künstlicher Blumen beschäftigt. Der Dichter nahm sie bald darauf in sein Haus. Das Zusammenleben der beiden Unvermählten erregte großes Ärgernis bei den „sittsamen" Weimarer Bürgern, was Goethe jedoch nicht beirrte. Nachdem ihn Christiane nach der Schlacht bei Jena mutig vor französischen Plünderern beschützt hatte, vermählte sich Goethe mit ihr am 19. Oktober 1806 in der Sakristei der Jakobskirche.
Christiane Goethe starb am 6. Juni 1816. Sie ruht auf dem Jakobsfriedhof. August von Goethe verheiratete sich 1817 mit Ottilie von Pogwisch aus Danzig. Er starb noch zu Goethes Lebzeiten am 27. Oktober 1830 in Rom, wo er auf dem protestantischen Friedhof bei der Pyramide des Cestius bestattet ist. Mit Augusts Sohn Walther erlosch am 15. April 1885 Goethes Geschlecht.

107 CHRISTIANEZIMMER

Die drei Christianezimmer, Vorzimmer, Große Stube und Wohnzimmer, liegen an der gleichen Gartenfront des Goethehauses, die auch Goethes persönliche Räume enthält. Christiane hielt sich hier und in den Wohnräumen des Vorderhauses bis zu ihrem Tode im Jahre 1816 auf. Am 10. Juni 1954 wurden diese drei Zimmer, die Jahrzehnte als Abstellräume gedient hatten, zur Erinnerung an Christiane in neuer Gestalt der Öffentlichkeit übergeben.

108 BLICK IN GOETHES STERBEZIMMER

Hier starb Goethe am 22. März 1832 um halb zwölf Uhr nach kurzer Krankheit.

109 DER ALTE GOETHE

1826 Der Maler Ludwig Sebbers arbeitete als Inspektor in einer braunschweigischen Porzellanfabrik und malte Goethes Bildnis im Sommer 1826 für eine Tasse, die sich heute im Goethe-Nationalmuseum befindet. Unmittelbar danach schuf der Künstler nach der Natur eines der eindrucksvollsten Greisenporträts des Dichters. Das Original dieser Kreidezeichnung ist verschollen und nur noch von einer alten Reproduktion bekannt.

110 GOETHE- UND SCHILLER-GRUFT, Neuer Friedhof

1825 Bis zum Ausgang des Mittelalters waren die Toten der weimarischen Fürstenhäuser in den Krypten der Stadtkirche und der Schloßkapelle beigesetzt worden. Wenige Jahre vor seinem Tode beauftragte Carl August seinen Baumeister Coudray mit dem Bau der Fürstengruft auf dem Neuen Friedhof, der 1818 für den zu klein gewordenen Jakobskirchhof eröffnet worden war. 1825 ließ der Großherzog die Gebeine seiner Vorfahren in dem neuen Gruftgewölbe unterbringen und verfügte, daß am 16. Dezember 1827 auch Schillers sterbliche Überreste aus der Landesbibliothek hierher kamen. Am 28. Juni 1828 folgte die Leiche des Bauherrn, der sich in einem prunkvollen Bronzekatafalk in der Fürstengruft bestatten ließ. Ein schlichter Holzsarg birgt Goethes sterbliche Hülle, die am 26. März 1832 neben dem Sarge seines Freundes Schiller beigesetzt wurde.

111 DIE SÄRGE GOETHES UND SCHILLERS

112 IM GOETHE-MUSEUM

Am 27. August 1960 wurde aus Anlaß der 75-Jahrfeier der Weimarer Goethe-Institute das neugestaltete Goethe-Museum eröffnet, das in 24 Räumen Leben und Werk des großen deutschen Dichters – seine Bedeutung als einer der Schöpfer unserer Nationalliteratur und des deutschen Nationaltheaters, als Meister der deutschen Sprache, als bildender Künstler, Kunsttheoretiker, Politiker und Naturwissenschaftler – in seiner Wechselwirkung mit den gesellschaftlichen und politischen Zuständen in Deutschland zwischen 1750 und 1850 veranschaulicht. Unser Bild zeigt den Raum 18, der die naturwissenschaftlichen Leistungen Goethes darstellt. Das Museum wurde durch diese Neugestaltung zu einer lebensvollen Bildungsstätte des Volkes.

Weimar zur Zeit der deutschen Klassik

115 DAS SCHLOSS IN WEIMAR, Burgplatz

1789–1803 Auf den Ruinen der am 6. Mai 1774 durch Blitz vernichteten Wilhelmsburg, dem dritten Weimarer Schloßbau, errichteten die Baumeister Arens aus Hamburg, Thouret aus Stuttgart und Gentz aus Berlin das heutige Stadtschloß, dessen Aufbau Goethe entscheidend gefördert hat. Auf ihm ruhte im wesentlichen die Verantwortung für die baukünstlerische Gestaltung, die so hervorragende Innenräume wie den Weißen Saal und das Runde Zimmer hervorgebracht hat. Von 1830 bis 1845 und um 1860 folgten weitere Um- und Einbauten. Ursprünglich war der Hof nach Süden offen. 1913 ließ ihn der letzte Großherzog durch einen Neubau verschließen.
Seit 1954 wirken im Neubau und in einigen Räumen des Ostflügels die Nationalen Forschungs- und Gedenkstätten der klassischen deutschen Literatur, während das weiträumige Schloßmuseum im alten Baukomplex untergebracht ist (s. Bild 148).

116 WEISSER SAAL IM SCHLOSS

1802–1803 Unter Mitwirkung Goethes schuf Heinrich Gentz einen der ausgeglichensten und innenarchitektonisch hervorragendsten Festsäle des 19. Jahrhunderts. Für die Decke wurden Vorarbeiten Thourets benutzt, die Plastiken und Reliefs sind von Friedrich Tieck (1776–1851), einem Schüler von Schadow und David. Die eisernen Öfen stammen aus Lauchhammer. –
Für den großen Festsaal schuf Tieck 1803 ein Standbild, zu dem ihm Carl Augusts Nebenfrau, die Schauspielerin Caroline Jagemann und spätere Freifrau von Heygendorff, Modell gestanden hat.

117 GROSSES TREPPENHAUS IM SCHLOSS

1802–1803 Von Heinrich Gentz (1766–1811). Die Statuen und Reliefs sind von Friedrich Tieck.

118 RUNDES ZIMMER IM SCHLOSS

1798–1800 Vorraum zum anschließenden Audienzzimmer der Herzogin Luise (daher auch Luisenzimmer genannt), von dem Stuttgarter Baumeister Nikolaus Friedrich Thouret geschaffen.

119 FALKENGALERIE IM SCHLOSS

1803 Heinrich Gentz gestaltete den schönen Festraum unter Verwendung von Fenstern und Fensternischen der alten Schloßruine. Die Kronleuchter hat der weimarische Meister Johann Heinrich Franz Staube angefertigt. Die Galerie trägt ihren Namen nach einem Orden des herzoglichen Hofes.

120 WEIMAR ZU BEGINN DES 19. JAHRHUNDERTS

1805 Der Ausschnitt aus der Ansicht von Georg Melchior Kraus zeigt rechts im Hintergrund die Ausläufer des Ettersberges, im Vordergrund den Hang der Altenburg. Das kleine klassizistische Häuschen an der Ostseite der Kegelbrücke ist die Kegeltorwache aus dem Jahre 1803. Der Kirchturm rechts dahinter gehört zur Jakobskirche, der links daneben, in der Bildmitte, zur Stadtkirche. Der große Gebäudekomplex in der linken Bildhälfte ist das 1803 fertiggestellte Schloß mit dem alten Schloßturm.

121 KONZERT DER WEIMARISCHEN STAATSKAPELLE IM HOF DES SCHLOSSES

Der Schloßhof dient der Weimarischen Staatskapelle in den Sommermonaten zu volkstümlichen Konzerten.

122 RÖMISCHES HAUS IM PARK

1792–1796 Das frei im Park stehende Gartenhaus Carl Augusts entstand unter den Nachwirkungen von Goethes italienischer Reise nach einem Entwurf des Hamburgers Johann August Arens. Goethe führte die Bauaufsicht. Ursprünglich konnte man von hier bis zum Schloß Belvedere sehen. Schloß und Römisches Haus bringen den für Weimar typischen Klassizismus am reinsten zum Ausdruck.
Heute dient das Gebäude den Nationalen Forschungs- und Gedenkstätten für Wechselausstellungen.

123 DURCHGANG AN DER OSTSEITE DES RÖMISCHEN HAUSES

1792–1796 Die Rückwand des Römischen Hauses wird von kräftigen dorischen Säulen getragen, die einen Durchgang begrenzen. Diese einfallsreiche architektonische Lösung gestattete es, das Gebäude über den Steilhang in das Ilmtal hinauszurücken. Dadurch wurde der Eindruck des frei im Gelände stehenden Hauses wesentlich verstärkt. In die steinerne Wanne mündete früher ein Springbrunnen.

124 BERTUCH-HÄUSER, Karl-Liebknecht-Straße

1780 und 1800 Johann Justin Bertuch (1747–1822), Schriftsteller, Übersetzer und wichtigster Wirtschaftsunternehmer Weimars, baute sich am Rande des alten fürstlichen Baumgartens zunächst 1780 ein Wohnhaus, das er, zu großem Vermögen gelangt, 1803 um die mittleren und südlichen Gebäude erweiterte. Dazu gehörte eine ausgedehnte Parkanlage mit Teichen, in der zum Goethejahr 1932 die Weimarhalle errichtet wurde. Heute sind hier die reichen Sammlungen des Weimarer Stadtmuseums untergebracht.

125 VORHALLE UND HAUPTTREPPE IN DEN BERTUCH-HÄUSERN

1800 Der klassizistische Hauptaufgang im Mittelbau der Bertuch-Häuser mit seiner schönen Stuckdecke und den einst mit Skulpturen besetzten Nischen gibt Zeugnis von dem guten künstlerischen Geschmack Bertuchs, dessen Persönlichkeit aus dem klassischen Weimar nicht fortzudenken ist.

126 IM KIRMS-KRACKOW-HAUS, Jakobstraße 10

16. Jahrh. Der stattliche Renaissancebau diente in der Goethezeit den Räten Franz und Karl Kirms als Wohnhaus. Franz Kirms war von 1791 bis 1826 Verwalter des Theaters und von daher mit Goethe befreundet. Seine Frau Karoline geb. Krackow überlebte ihn um Jahrzehnte. Ihr und ihren Nichten Charlotte und Sophie Krackow gelang es, das Haus während der nachklassischen Zeit zum Treffpunkt bedeutender Menschen zu machen. Im ersten Stock wird heute bürgerliche Wohnkultur des 19. Jahrhunderts gezeigt, im zweiten sind Gedenkräume für Herder, Wieland und Falk geschaffen worden, da deren ehemalige Weimarer Wirkungsstätten nicht mehr zugänglich sind.

127 HOF DES KIRMS-KRACKOW-HAUSES

16. Jahrh. Der rückwärtige Teil des weitläufigen Anwesens grenzt gegenüber dem Geburtshaus von Christiane Vulpius an die Luthergasse. Dahinter erstreckt sich bis zur heutigen Marstallstraße ein reizvolles Gärtchen mit einem Teehaus, das von den Nationalen Forschungs- und Gedenkstätten nach zeitgenössischen Darstellungen wiederhergestellt wurde.
Die Bezeichnung Luthergasse ist neu. Zur klassischen Zeit hieß das Gäßchen noch Winkelgasse. Sie führte zum Falkschen Hause und zum Gartentor des Kirms-Krackow-Hauses. Von hier aus ging ursprünglich der Weg weiter zum Großen Vorwerk. Luther, nach dem die Winkelgasse später benannt wurde, benutzte sie auf seinen Gängen zwischen dem Vorwerk und der Stadtkirche. Im Hause Luthergasse 5 wurde Christiane Vulpius am 1. Juni 1765 geboren. Das bescheidene Häuschen wird von seinem jetzigen Besitzer liebevoll gepflegt.

128 ECKERMANNS GRAB, Neuer Friedhof

129 JOHANN PETER ECKERMANN

19. Jahrh. Kreidezeichnung von Joseph Schmeller (1794–1841).
Dr. Johann Peter Eckermann aus Winsen bei Hannover (1794–1854) hatte 1823 „Beiträge zur Poesie, mit besonderer Hinweisung auf Goethe" veröffentlicht. Goethe lud ihn nach Weimar ein, wo er als sein Helfer und Vertrauter blieb. Er wohnte in dem bis heute erhaltenen Hause Brauhausgasse 13. 1837 erschienen die ersten beiden Bände seiner berühmten „Gespräche mit Goethe in den letzten Jahren seines Lebens 1823 bis 1832". Der dritte Band folgte 1848. Am 3. Dezember 1854 starb Eckermann als Bibliothekar in Weimar. Sein unvergängliches Verdienst ist es, Goethes Gespräche aufgezeichnet zu haben und dem Dichter bei der letzten Ordnung seines Lebenswerkes behilflich gewesen zu sein.
Johann Joseph Schmeller, einer der Lehrer an der Zeichnen-Schule, fertigte im Auftrage Goethes zahlreiche Porträtzeichnungen von Persönlichkeiten der klassischen Zeit an. Von Eckermann schuf Schmeller diese schöne Kreidezeichnung, die sich heute im Goethe-Nationalmuseum befindet.

130 FALKS GRAB, Neuer Friedhof

1826 Johannes Daniel Falk (1768–1826) lebte seit 1798 als freier Schriftsteller in Weimar, wo er auch eine Zeitschrift herausgab. 1813 gründete er gemeinsam mit dem Stiftsprediger und Pädagogen Karl Friedrich Horn die Gesellschaft der Freunde in der Not und rief eine Erziehungsanstalt für Waisen und verwahrloste Kinder ins Leben. Durch diese gemeinnützige Tat wurde Falk zum Schöpfer der sozialen Fürsorge in Deutschland. Als Freund Goethes hat er wertvolle Erinnerungen hinterlassen.

Weimar nach Goethes Tod. Weimar in unseren Tagen

133 AM GOETHEPLATZ

Am Goetheplatz, einem der belebtesten Punkte Weimars, liegen mehrere historische Baulichkeiten. Der Kasseturm stammt noch aus dem Mittelalter und ist neben dem Bibliotheksturm der einzige Überrest der einstigen Stadtbefestigung. An dieser Stelle bog die Stadtmauer nach Osten zum Graben und nach Süden zur Wielandstraße ab. Der Goetheplatz war noch zur klassischen Zeit ein Schweinemarkt und von Scheunen umsäumt. Unmittelbar an der Mauer lag der Ratsteich, davor eine Baumallee. Nach dem Brand der Scheunen (1797) entstanden hier klassizistische Bauten, unter ihnen 1797 das Erholungsgebäude (heute Jugendklubhaus „Walter Ulbricht"), 1801 die Löwenapotheke, 1814 der „Russische Hof" und 1813 das Lesemuseum, von dem aus das Deutsche Reisebüro jährlich über eine Million Besucher der klassischen Stätten betreut. Nahezu jedes der schönen alten Gebäude am Goetheplatz dient heute gesellschaftlichen Zwecken, sei es als Zeitungsgebäude für „Das Volk", als Internationale Buchhandlung oder als gepflegte Gaststätte, in der sich die vielen auswärtigen Besucher von Weimar zu Gespräch und Unterhaltung zusammenfinden.

134 ALTE BÜRGERSCHULE, Karl-Liebknecht-Straße

1822–1825 Der weimarische Oberbaudirektor Clemens Wenzeslaus Coudray (1775–1845) beschäftigte sich viel mit Schulneubauten in weimarischen Dörfern. In Weimar errichtete er die erste Bürgerschule. Der übersichtliche Bau trug wesentlich zur Verbesserung des bis dahin unzulänglichen Volksschulwesens bei. Weimar hat Coudray die Erneuerung seines Stadtbildes nach 1816 zu danken.

135 VOGELSCHIESSEN DER STAHL- UND ARMBRUST-SCHÜTZENGESELLSCHAFT IN WEIMAR

1832 Aquarellierter Stich von August Böhme (Ausschnitt). In Goethes Todesjahr zeichnete August Böhme die Bürger Weimars beim traditionellen Vogelschießen der Schützengesellschaft. Die dilettantische Arbeit, die sich mit Blättern von Georg Melchior Kraus, Carl August Schwerdgeburth oder Theodor Götz nicht messen kann, ist dennoch reizvoll, weil sie das gesteigerte Selbstbewußtsein des Weimarer Bürgers zum Ausdruck bringt. Nicht allein der Adel und sein Treiben sind dem Maler wert, im Bilde festgehalten zu werden, sondern vor allem der Bürger, der im klassischen Weimar seit 1800 gesellschaftlich zu Ansehen gekommen ist.

136 DER FLÜGEL FRANZ LISZTS IM LISZT-HAUS, Belvederer Allee

137 FRANZ LISZT

19. Jahrh. Ölbild von Ary Scheffer (1795–1858). Im Revolutionsjahr 1848 kam der berühmte ungarische Pianist und Dirigent Franz Liszt (1811–1886) mit seiner russischen Freundin, der Fürstin Carolyne von Sayn-Wittgenstein, nach Weimar, dessen Großherzog Liszt nach seinem ersten Auftreten im Jahre 1841 zum Kapellmeister in außerordentlichen Diensten ernannt hatte. Unter dem günstigen Einfluß der Russin gab er das bisherige unruhige Virtuosendasein auf und wandte sich der Komposition zu. So entstanden in Weimar Liszts große sinfonische Dichtungen, die ihn erst zur ausgeprägten Künstlerpersönlichkeit heranreifen ließen. Daneben dirigierte er zwischen 1848 und 1858 am Theater zahlreiche Werke von Zeitgenossen. Für den als Komponisten kaum beachteten und politisch verfolgten Richard Wagner setzte er sich besonders ein und führte dessen Opern „Tannhäuser“ (1849), „Lohengrin“ (1850) und „Der fliegende Holländer“ (1853) zum ersten Male auf. Mit seinen hochtalentierten Schülern, unter ihnen Raff, Bülow, Joachim und Cornelius, machte er die seit Goethes Tod von Spießern beherrschte Stadt zum Zentrum des deutschen Musiklebens. Nachdem er sich seiner Gegner nicht mehr erwehren konnte und wollte, ging Lsizt 1861 nach Rom. Erst 1869 kehrte er zurück.

138 DAS HAUS AUF DER ALTENBURG, Jenaer Straße

1811 Das schlichte Gebäude an der Jenaer Straße trägt seinen Namen nach einer Anhöhe östlich der Kegelbrücke. Der weimarische Stallmeister Friedrich von Seebach, ein Sonderling, hatte es sich dort als Wohnhaus hinbauen lassen. Damals stand es allein inmitten einer Fichtenanpflanzung. Im Sommer 1848 zogen Franz Liszt und Carolyne von Sayn-Wittgenstein hier ein. Sie machten das Haus auf der Altenburg zum geistigen und künstlerischen Mittelpunkt Weimars, in dem es nach Goethes Tod so still geworden war. Nach dem Theaterskandal um die Uraufführung von Peter Cornelius' Oper „Der Barbier von Bagdad“ verließ Carolyne das Haus im Mai 1860. Liszt folgte ihr im August 1861. Sechs Jahre später ließ Liszt auf Ersuchen des Hofes, der in dem Hause Offiziere einquartieren wollte, die gesamte Einrichtung versteigern. Seitdem dient das Gebäude Wohnzwecken. –
Das eigentliche Liszt-Haus an der Belvederer Allee war zur Goethezeit für den Hofgärtner erbaut worden. Von 1869 an hielt sich Franz Liszt, mit der weimarischen Gesellschaft formell ausgesöhnt, alljährlich einige Monate in dem einfachen Häuschen auf, dessen erster Stock ihm vom Großherzog als Ehrenwohnung zugewiesen worden war. Hier scharte er wieder eine Gruppe begeisterter Schüler um sich, die ihm auf seinen unsteten Wanderfahrten zwischen Weimar, Rom und Budapest überallhin folgten. Seit 1886, dem Todesjahr des Meisters, befindet sich hier das Listz-Museum, dessen Bestände von Carolyne von Sayn-Wittgenstein, von deren Tochter und von Verehrern Franz Liszts gestiftet und durch Ankäufe vervollständigt worden sind.
Unter Anleitung der Nationalen Forschungs- und Gedenkstätten wurden die beiden Stockwerke des Hauses im Jahre 1955 museal neu gestaltet.

Dem neuen Besucher entspricht auch der kühn gestaltete Zuschauerraum von 1948. Im Gegensatz zum ehemaligen Innenraum des ausgebombten Theaters mit Mittelloge, Einzellogen, dem bombastischen Kronleuchter und den vielen Zierlämpchen hatten Bauherr und Architekt des neuen Hauses von vornherein an den zukünftigen Zuschauer gedacht, der als Angehöriger einer dem Sozialismus zustrebenden Gesellschaftsordnung weder auf individuelle Repräsentation noch auf Abkapselung vom Nachbarn bedacht ist. So erhielt der Zuschauerraum eine Sitzordnung, die mit der indirekten Beleuchtung und der nicht mehr unvermittelt abgetrennten Bühne eine große Einheit bildet.

147 GOETHES „FAUST. ERSTER TEIL“ 1961/62 IM DEUTSCHEN NATIONALTHEATER

148 STAATLICHE KUNSTSAMMLUNGEN IM SCHLOSSMUSEUM, Am Burgplatz

Als Kunstmuseum zählen die großartigen Sammlungen im Schloß zu den wertvollsten ihrer Art in Deutschland. Sie sind, wie die innenarchitektonische Gestaltung des Schlosses, aufs engste mit Goethe verknüpft, der 1809 die bis ins 17. Jahrhundert zurückreichenden herzoglichen Kunstsammlungen der Öffentlichkeit zugänglich machte und damit zum Schöpfer des ersten Weimarer Kunstmuseums wurde. Nach wechselvollen Schicksalen und mancherlei Umzügen präsentieren sich heute die kostbaren Bestände, nach neuzeitlichen Grundsätzen geordnet und aufgestellt, in den Räumen der Staatlichen Kunstsammlungen des Schloßmuseums. Neben frühmittelalterlicher Kunst werden hervorragende Werke der Dürer- und Cranachzeit dargeboten. Niederländische und italienische Meister sind ebenso vertreten wie die Kunst des Klassizismus, der Romantik, des Impressionismus und der Gegenwart. Ein ihrer Bedeutung entsprechender Abschnitt des Museums ist der Weimarer Malerschule gewidmet, die in der zweiten Hälfte des 19. Jahrhunderts die Blicke der Kunstfreunde auf Weimar lenkte.

149 IN DER HOCHSCHULE FÜR ARCHITEKTUR UND BAUWESEN, Geschwister-Scholl-Straße

1960 sind hundert Jahre vergangen, seit der Maler Stanislaus Graf Kalckreuth die Weimarer Kunstschule gründete, die spätere Kunstakademie und Vorgängerin der heutigen Hochschule für Architektur und Bauwesen. Arnold Böcklin aus Basel, Reinhold Begas aus Berlin, Franz Lenbach aus Oberbayern und weitere bedeutende Künstler, wie der Berliner Bonaventura Genelli, der Thüringer Friedrich Preller und der Düsseldorfer Theodor Joseph Hagen, entwickelten in Weimar einen großzügigen Kunstbetrieb, der sich später unter Henry van de Velde auf die Bezirke des Kunstgewerbes (seit 1906 Kunstgewerbeschule) und der Baukunst ausweitete. Während der Weimarer Republik machte das von dem Berliner Architekten Walter Gropius durch Fusion der Kunstakademie und der Kunstgewerbeschule (unter Einbeziehung einer Abteilung Architektur) geschaffene Bauhaus in der ganzen Welt von sich reden. Künstler wie Lyonel Feininger, Paul Klee, der Russe Wassili Kandinski, Gerhard Marcks und andere wirkten damals in Weimar, sehr zum Verdruß eingesessener Kulturpolitiker, die schließlich den ganzen Lehrkörper des heftig umstrittenen Bauhauses aus der Stadt hinausdrängten. Das war 1925. Fünf Jahre darauf griffen die in Thüringen zur Macht gekommenen Faschisten zu und machten aus den Resten der ehemaligen Kunstakademie eine Hochburg nazistischer Blut-und-Boden-Architektur.
Seitdem 1949 die Arbeiter-und-Bauern-Macht den Neuaufbau der Kunsthochschule in ihre Hände genommen hat, ist in wenigen Jahren mit der Hochschule für Architektur und Bauwesen ein umfassendes, der großen nationalen Tradition würdiges Institut entstanden.

150 PLATZ DER 56000 MIT DEM ERNST-THÄLMANN-DENKMAL

Der in der Nähe des Bahnhofes gelegene Platz, dessen nördliche Begrenzung moderne Wohnbauten bilden, ist den Opfern des Konzentrationslagers Buchenwald gewidmet. Hier wurde das erste Ernst-Thälmann-Denkmal der Deutschen Demokratischen Republik am 17. 8. 1958, dem Vorabend des Jahrestages der Ermordung des großen Arbeiterführers in Buchenwald, eingeweiht. Die überlebensgroße Bronzestatue schuf der Dresdener Bildhauer Walter Arnold.

151 NATIONALE MAHN- UND GEDENKSTÄTTE BUCHENWALD
GLOCKENTURM MIT PLASTIKGRUPPE

Auf dem rückwärtigen Hang des Ettersberges bei Weimar befand sich bis 1945, unweit von Schloß Ettersburg, inmitten eines alten Waldgebietes das faschistische Konzentrationslager Buchenwald, ein Schandmal nationalsozialistischer Barbarei, in dem 238000 aufrechte Menschen aus ganz Europa unter unmenschlichen Bedingungen gefangengehalten wurden. 56000 von ihnen wurden zu Tode gequält. Einer davon war Ernst Thälmann, der Vorsitzende der Kommunistischen Partei Deutschlands.
Ein Ehrenhain auf dem der Stadt Weimar zugewandten Hang des Ettersberges hat die Gebeine von achttausend Opfern faschistischer Unmenschlichkeit aufgenommen. Von hier aus schweift der Blick über Weimar, die Wirkungsstätte Goethes und Schillers, Wielands und Herders, Bachs und Liszts. Hier oben ruhen der sowjetische Soldat neben dem deutschen Arbeiter, der jüdische Gelehrte neben dem katholischen Geistlichen, der sozialdemokratische neben dem kommunistischen Reichstagsabgeordneten. Alle Nationen, deren Brüder und Schwestern durch die faschistischen Henker im Konzentrationslager Buchenwald ermordet wurden, haben, ungeachtet aller Ländergrenzen und verschiedenen politischen Auffassungen, in den vergangenen Jahren Abordnungen nach Buchenwald gesandt, um ihre Toten zu ehren. Mit den deutschen Antifaschisten vereinigten sie sich zu dem Gelöbnis, dem deutschen Volk den Weg zu einer friedlichen, demokratischen, seiner großen geistigen Tradition würdigen Zukunft bereiten zu helfen, dem deutschen Militarismus und Faschismus aber unerbittlichen Kampf anzusagen.
Für den Ehrenhain hat Nationalpreisträger Fritz Cremer eine monumentale Gruppe geschaffen, die den Widerstandskampf der internationalen Gemeinschaft der ehemaligen Lagerinsassen symbolisch gestaltet.

152 STRASSE DER NATIONEN

Die Straße der Nationen verbindet die drei großen Ringgräber. 18 Pylonen mit Flammenschalen tragen die Namen der Nationen, deren Angehörige in Buchenwald kämpften und litten.

153 WESTLICHES RINGGRAB

Die Ringgräber, in ihrer ursprünglichen Form und Größe erhalten geblieben, sind umgeben von sechs Meter hohen Mauern, deren Kalkstein auf dem Ettersberg gebrochen wurde.

154 GOETHES HANDSCHRIFT „KRIEG UND FRIEDEN“

„Manches Herrliche der Welt
Ist in Krieg und Streit zerronnen,
Wer beschützet und erhält,
Hat das schönste Los gewonnen“

Der bekannte, oft zitierte Vierzeiler gehört zu einem Zyklus, den Goethe später zu den noch im Goethehaus aufbewahrten acht Sinnbildern schrieb, die im September 1814 an der Zeichnenschule angebracht waren. Die gleichen Bilder verwendete Goethe im Jahre 1825 noch einmal als Schmuck für sein Wohnhaus. Von ihnen ließ der Dichter 1826 verkleinerte Nachbildungen herstellen, versah sie mit Gedichten, die die sinnbildlichen Darstellungen ausdeuten, und verschenkte die Blättchen an Freunde.

DIESES WERK WURDE AUS DER BASKERVILLE-ANTIQUA UND -KURSIV GESETZT.
DIE GESAMTHERSTELLUNG ERFOLGTE IN DER DRUCKEREI FORTSCHRITT ERFURT.
DIE TYPOGRAPHIE UND DIE EINBANDGESTALTUNG BESORGTE HORST ERICH WOLTER,
LEIPZIG. DIE DRUCKGENEHMIGUNG WURDE UNTER DER NUMMER 313/380/30/62 ERTEILT.

AUSGEZEICHNET ALS SCHÖNSTES BUCH DES JAHRES 1960